PARALELO CERO

© Jordi Sierra i Fabra
© Grupo Editorial Bruño, S. L., 2004
Juan Ignacio Luca de Tena, 15
28027 Madrid

ISBN: 978-84-216-9341-4
Depósito legal: M. 24.262–2007

PRIMERA EDICIÓN: octubre 2004
SEGUNDA EDICIÓN: febrero 2007
TERCERA EDICIÓN: junio 2007

PARALELO CERO

Dirección editorial:
Trini Marull

Edición:
Begoña Lozano
Diseño:
Emilio Rebull
Cubierta:
Grupo Kunzzo, S. L.

PARALELO CERO

En una esquina del corazón

Jordi Sierra
i Fabra

Primera parte:
Cortocircuito

No sabía qué hacer, ni adónde ir.

Caminaba. Lo hacía perdida, oculta, igual que una sombra huidiza a la que nadie veía porque, además, se sentía transparente. La gente que llenaba las calles, como cualquier viernes por la noche, iba de un lado a otro tan indiferente que mirarla también le hacía daño.

Lo mismo que respirar, sentir.

Todo un mundo ajeno a ella que parecía burlarse de su soledad, sus lágrimas interiores, su dolor anímico, tan invisible y, sin embargo, tan poderoso.

De pronto se detuvo.

Solo porque lo acababan de hacer los que la precedían.

Levantó la cabeza y vio el semáforo. La proximidad de la gente y, sobre todo, sus voces la aturdieron todavía más. Era igual que sintonizar una docena de emisoras al mismo tiempo. A su lado, una pareja reía con fuerza. La chica echaba la cabeza hacia atrás, mostrando la generosidad de su boca abierta, los dientes perfectos, y él la estrechaba por la cintura, como para impedir que cayera víctima de su descontrol. Su risa era franca, contagiosa. Al otro lado, unos treintañeros discutían sobre el restaurante que les apetecía para cenar. La mujer prefería un chino, y él, un italiano. La alternativa era un mexicano, y eso cerró un pacto con el que se sintieron cómodos. Lo sellaron con una mirada dulce y una sonrisa suave, mientras sus manos se apretaban un poco más. Por delante, otras dos parejas mantenían sendas conversaciones, más austeras y lejanas, imperceptibles.

Sabía que si volvía la cabeza, vería más y más parejas.

Parejas.

La única solitaria parecía ella.

El mundo caminaba a dúo porque quienes estaban solos eran invisibles, se desvanecían o no salían de sus casas.

Quiso echar a correr, cruzar la calzada en rojo, desafiar a ese mundo.

Cuando el semáforo se puso verde y los automóviles se detuvieron, la riada humana que se desperezaba bajo la primera hora de la noche comenzó a avanzar.

Continuó caminando.

Lo peor era el martilleo de su mente.

El eco.

La conversación sostenida con Juan Manuel hacía un rato, o más bien su monólogo.

—Lo siento, de verdad. No creí que… Pero es mejor así, antes de que lo compliquemos más. Ahora estamos a tiempo, ¿verdad? Quiero decir que… Bueno, ya me entiendes.

Ella le había preguntado:

—¿Por qué?

Y él, apartando su mirada, le había respondido:

—Esas cosas pasan. Fue un cuelgue. Ya sabes, todo ese rollo de las feromonas y la adrenalina y qué sé yo. Imagino que nos dio más fuerte de lo normal y que por eso…

–Dijiste que me querías.

El naufragio de sus ojos fue peor que el del *Titanic*.

Y ella había insistido:

–¿Era mentira?

–No, claro, pero...

–Lo dijiste.

Después de una larga pausa, Juan Manuel le repitió lo mismo:

–Lo siento.

Lo sentía. ¿Qué sentía? ¿Haberle dicho que la amaba? ¿Haber empleado tantos días para conquistarla, convencerla, enamorarla? ¿Dejarla inesperadamente justo cuando ella creía que habían superado las primeras barreras del amor? ¿Arrastrarla a toda aquella locura de la que ahora no sabía cómo escapar?

Juan Manuel, su Juan Manuel, la persona a quien había confiado todos sus sueños, todas sus esperanzas, su propia vida...

De pronto le decía que todo había terminado.

Que lo sentía.

Y adiós.

Nunca se había enamorado antes. Era el primero. Así que también era su primer rechazo, el duro encuentro con el filo de la vida.

La estaba cortando en dos.

Sus pasos perdidos se apartaron del flujo humano. Buscó una calle oscura, menos transitada, y cuando la encontró se sumergió en ella recuperando su equilibrio tras la tormenta auditiva. Un equilibrio frágil, sustentado en su caminar. Temía detenerse. ¿O era el mundo el que se movía y no la dejaba bajar? Ni siquiera sabía dónde estaba. Pero más miedo le daba regresar a casa, sola. Sus padres se habían ido a pasar el fin de semana fuera; no regresarían hasta el domingo por la noche. Los había convencido para que la dejaran quedarse. Ningún problema. Diecisiete años eran diecisiete años. Confiaban en ella.

Y ella acababa de perder la confianza en el universo entero.

Se cruzó con tres chicos jóvenes, más o menos de su edad, uno tal vez un poco mayor. No es que los mirase, fue más bien un acto reflejo. La calle solitaria, el rumor de los pasos, su desparpajo juvenil... Uno de ellos le dio un codazo a otro. Fue una imagen fugaz. Era guapa. De eso sí tenía constancia. Una belleza natural: labios hermosos, ojos grandes y vivos, nariz equilibrada, el cabello largo y armónico, la piel suave, el cuerpo proporcionado y toda aquella dulzura envolviéndola...

—Eres tan dulce...

Juan Manuel se lo había dicho al darle el primer beso.

Mientras ella cerraba los ojos y el tiempo se detenía entre dos segundos.

Comprendió que la herida se abría más y más, que todo era tan reciente que lo peor estaba por llegar; y eso la asustó aún más. Una hora antes era feliz. Una hora antes, la vida le sonreía. De pronto, el pasado se alejaba y la enfrentaba a un presente amargo y un futuro incierto. El miedo se hizo pánico; el pánico, locura; la locura, angustia.

Quería llorar y no podía.

Algo en su interior le impedía hacerlo.

Se apoyó en una pared. El dolor era cada vez más fuerte, y también el vértigo, el zumbido en sus oídos y la danza infernal de cuanto la rodeaba. El mundo se había vuelto inestable. Se movía.

Y ella se estaba rompiendo.

Esa era la palabra: romper.

Lo notó en su pecho.

Pudo escuchar el crujido, sentir las grietas que aumentaban de tamaño, percibir cómo se quebraban las paredes y los músculos de su corazón.

Se llevó una mano al pecho.

No podía respirar.

–No... es... posible... –gimió.

Pero lo era. No se trataba de una sensación. Sentía cómo se le estaba rompiendo el corazón.

De verdad.

Ya no había nadie en la calle. Nadie a quien recurrir. La noche formaba un manto, el tráfico pertenecía al más allá inmediato situado a ambos lados de donde se encontraba. Su mano se crispó en la pared mientras el dolor subía y subía por sus terminaciones nerviosas hasta adueñarse de su cerebro.

Se le nublaron los ojos.

Y se sintió estúpida.

No quería morir, pese a todo. Quería vivir.

Y se le estaba rompiendo el corazón.

Por amor.

Por desamor.

Luego escuchó aquel lejano trueno, aquel «crac» interior.

Lo último de lo que tuvo consciencia Mari Luz fue la forma en que se sumergió en la oscuridad; una negrura esponjosa, blanda, igual que una arena movediza suave que la engulló por completo.

La luz.

Primero fue una claridad; después, un resplandor; finalmente, la certeza de que estaba allí, al otro lado de sí misma, y que con solo abrir los ojos se inundaría de esa luminosidad.

Pero si había una luz, solo podía significar una cosa: que estaba muerta.

Lo había leído en alguna parte. La gente que pasaba por un coma, antes de renacer o de morir, veía una luz. Si caminaban en una dirección, hacia la vida, recuperaban el dolor, la consciencia, y despertaban. Si caminaban en la otra dirección, hacia el no dolor, renunciaban a la vida, se rendían y morían en paz. Dado que ella ya no sentía aquel terrible dolor en el pecho, significaba que su opción había sido la muerte.

La invadió la rabia.

Morir por amor era muy bonito, muy romántico, pero muy poco práctico para quien daba el paso; sobre todo cuando la otra persona, la causante, iba a vivir feliz.

Con un nuevo amor.

La rabia se hizo furia.

Juan Manuel no la había dejado por ninguna de las excusas que le había dado, todo aquello de la «necesidad de espacio» o lo de «no quiero atarme todavía». Tampoco lo había hecho para «reflexionar» ni para «no perder el hilo de los estudios», ni mucho menos porque fuese mejor «en este momento, porque luego te hará más daño», como le acababa de decir. La causa de todo aquello tenía que ser, por fuerza, una muy distinta.

Vanessa.

Su amiga.

Todo había sido diferente entre Juan Manuel y ella desde el día en que Vanessa empezó a salir con ellos, a presentarse de forma inesperada, a dar rienda suelta a su alegría, su dinamismo y su desparpajo.

¡Qué ciega había estado!

Primero, Juan Manuel le comentó lo animada y fantástica que era su amiga. Luego se lo calló. Toda aquella indiferencia...

No tenía ninguna prueba, pero si de algo estaba segura, era de eso.

Y ahora, para colmo, se moría y a ellos les quedaba el camino libre, salvo por algunos escasos remordimientos.

–Vuelve en sí.

–Eso parece.

–Se recupera.

¿Qué clase de muerte era aquella en la que se oían voces?

Estaban al otro lado, como la luz.

Por lo tanto, si abría los párpados...

–Vamos, ya pasó.

Alguien le acariciaba la frente.

–Ánimo, Mari Luz.

No, no estaba muerta.

No sentía dolor, pero no estaba muerta.

Y si el mundo se movía, era por una razón aún más simple: se encontraba en un coche.

Una ambulancia.

La sirena aullaba.

Se probó a sí misma. No le dolía el corazón, ni el pecho, y respiraba con regularidad. Gimió.

Y una de las voces murmuró:

–¡Sssh...!

Y la otra:

–Tranquila, vas a ponerte bien.

Iba a ponerse bien, lo cual significaba que, pese a todo, estaba mal.

Abrió los ojos de golpe. Los cerró al momento porque el torrente luminoso le asaltó las retinas. Hizo un segundo intento a los dos o tres segundos, despacio, habituándose al resplandor. El lugar era blanco, puro, y desde luego se trataba de una ambulancia. Las dos personas se encontraban a su izquierda: un hombre y una mujer; uno, como de treinta y pocos; y otra, como de veintimuchos. La que la acariciaba era ella.

–Eh, muy bien –suspiró el hombre sin énfasis.

–¿Cómo te encuentras? –preguntó la mujer.

¿Cómo se encontraba? Buena pregunta. Intentó reflexionar sobre su estado.

–Cansada –dijo.

–Lógico –asintió él.

–Somnolienta –amplió su diagnóstico.

–Claro –curvó los labios hacia arriba ella.

–¿Qué me ha…?

–Tú tranquila –no la dejó seguir el hombre–. Ya estamos llegando.

–Lo importante es que has reaccionado rápido y bien –convino la mujer.

Una ambulancia. Un hospital. Llamarían a sus padres y les darían el susto de su vida. Luego, cuando se hubiera puesto bien, la coserían a preguntas. Ellos no tenían ni idea de que en las últimas semanas…

Juan Manuel había sido igual que una primera nevada invernal o, casi mejor decir, como ese primer día de primavera en el que el sol vence al frío y el invierno queda atrás.

Se estremeció al recordar aquel dolor tan intenso en el pecho.

Mientras su corazón se rompía.

¡Su corazón!

Se llevó una mano al pecho. Al mismo tiempo, la ambulancia hizo dos cosas: apagar la sirena y amortiguar la velocidad, como prueba de que estaba llegando a su destino. Por este motivo, la mujer y el hombre no se dieron cuenta de su gesto. Uno miró en dirección al conductor; otra se levantó para abrir las puertas posteriores.

Y entonces, pese a que Mari Luz hubiera jurado que su corazón no latía, inexplicablemente, se durmió de nuevo.

O eso fue lo que creyó ella.

Quizá estuviese de nuevo en coma.

La sensación no fue la misma.

No hubo luz, ni vacilación, ni miedo. No hubo nada.

Solo abrió los ojos.

Despertada por el silencio.

La estancia era tan blanca como la ambulancia, pero no se movía; todo estaba muy quieto, y en ella no había nada, tan solo tres paredes vacías, una ventana con la persiana bajada, una mesa en un ángulo y dos sillas situadas a ambos lados.

Movió la cabeza a derecha e izquierda, y finalmente hacia arriba.

La puerta, del lavabo o del armario, quedaba a la derecha, lo mismo que una mesita junto a la cama, en la que vio un vaso de agua, su reloj y sus anillos. A la izquierda localizó el gota a gota, colgado de un soporte metálico, que enlazaba directamente con la cánula de su brazo. Por encima vio un triángulo de hierro, sujeto a la parte posterior de la cama, con el que poder levantarse o moverse en el caso de que tuviera alguna dificultad. La única nota de color la ponía el recipiente del gota a gota.

Siempre había creído que el suero era incoloro.

Pero aquel era... ¿verde?

–¿Oiga?

No hubo ninguna respuesta. Tampoco es que hubiera alzado mucho la voz. Desconocía su estado. Lo ignoraba todo. Recordaba, eso sí, la amarga despedida de Juan Manuel, el desconcierto, sus pasos perdidos y sin rumbo, aquel inusitado dolor en el pecho, la sensación de que se le estaba rompiendo el corazón, la pérdida del conocimiento, la ambulancia...

Estaba en un hospital, grave.

Un infarto a los diecisiete años.

Y encima por un estúpido del que se había enamorado...

Se había enamorado.

¡Gran cosa el amor! ¿Quién dijo que no te deja vivir, pero te impide morir?

–¡Oiga! –gritó.

El mismo silencio.

La bolsa de suero verde tenía algo escrito a un lado. Se esforzó en leerlo, aunque para ello tuvo que asir con su mano derecha el triángulo metálico. Fue inútil. Aunque logró incorporarse unos centímetros, se descubrió demasiado débil para tanto esfuerzo, así que desistió de ello. Prefirió algo mucho más sencillo: alargar el brazo y mover el pie de la percha que lo sostenía.

«Esperanza-Solución 1:10».

Debía de tratarse de la marca.

Iba a gritar por tercera vez, con más energía, cuando escuchó un sonido a su derecha, una puerta que se abría, y luego, después de cerrarse, el rumor de unos pasos. El pasillo que cubría la distancia entre la puerta y el interior de la habitación debía de ser breve. Contó tres pasos. Por la puerta que antes había imaginado del lavabo o del armario apareció una enfermera bajita, rechoncha, como si en su cuerpo no hubiera más que circunferencias y ninguna línea recta. Llevaba un impoluto uniforme blanco y una cofia. En la placa de su bolsillo, a la izquierda, Mari Luz leyó un nombre: Anastasia.

A la recién aparecida se le iluminó el rostro al verla despierta.

–¡Bien, bien, bien! –cantó feliz–. ¡Así me gusta!

Mari Luz la vio aproximarse, situarse a su lado, tomarle el pulso.

Pero ¿qué pulso, si no sentía los latidos de su corazón?

–Oiga, ¿dónde estoy? –reaccionó asustada.

–No te preocupes, ¿eh? –Anastasia seguía concentrada en su pulso–. Enseguida aviso al doctor y él te lo explicará.

–No, dígamelo usted.

–No puedo hacerlo –la miró con las cejas alzadas–. El doctor se enfadaría conmigo.

–Pero ¿qué tengo?

–Nada que no se arregle con descanso y esperanza.

Mari Luz miró el suero.

–¿Me voy a morir? –preguntó asustada.

–¡No! –la enfermera soltó una carcajada–. ¡Qué disparate! ¡Si hubieras querido morir, no habríamos llegado a tiempo! Si estás aquí, es justo por todo lo contrario, porque tienes ganas de vivir por encima de todo.

–¿Por encima de todo? –cayó en la cuenta de esa última expresión.

–En el último momento sentiste rabia, no desfallecite. La rabia es energía. Y la energía es vida.

Anastasia terminó su breve examen. Se dispuso a salir de la habitación.

–Espere… –la detuvo ella.

No sabía por dónde empezar, ni qué preguntar.

La cabeza le daba vueltas, y se sentía débil y agotada.

–Tranquila, vamos, el doctor viene en un minuto –dijo la enfermera con dulzura.

–¿Por qué el suero es verde? –reaccionó de pronto.

–La esperanza es verde –repuso la mujer como si acabase de manifestar una verdad incuestionable.

Mari Luz empezó a marearse.

–¿Dónde… estoy?

Y la respuesta de la enfermera Anastasia, de nuevo tan aparentemente lógica como natural, incluso envuelta en un halo de sorpresa, no hizo sino aplastarla todavía más en la cama, con la certeza de que se estaba volviendo loca.

–En la residencia de los corazones rotos, por supuesto. ¿Dónde quieres estar?

Tuvo un minuto para calmarse.

Es decir, para confundirse más a sí misma, sumergirse en aquel sopor que le abotargaba la mente y repetirse que, en el caso de que no acabase loca, sus padres la matarían igualmente.

Su corazón había dejado de latir.

Ella misma había sentido cómo se le quebraba en el pecho.

¿Y estaba en una residencia… de corazones rotos?

–¡Ah! –se llevó la mano libre a la cabeza.

Escuchó por segunda vez el ruido de la puerta y casi dejó de respirar. Los pasos sonaron distintos, más enérgicos. Zapatos en lugar de cómodos mocasines de enfermera. Movió la cabeza justo para ver entrar en la habitación a un hombre alto, muy alto, y fornido, muy fornido, tan cuadrado que parecía un armario con piernas, de cara tan roja como su pelo, barba apenas insinuada, bigote bien cortado y ojos vivos. No llevaba ninguna placa.

Tampoco fue necesaria.

–¡Hola, hola, hola! –saludó enfático con una armoniosa voz rebosante de graves–. ¿Qué tal estamos?

La enfermera Anastasia había dicho «¡Bien, bien, bien!», y él, «¡Hola, hola, hola!».

Mari Luz parpadeó impresionada ante tanta humanidad.

–Soy el doctor Serrano –le tendió su mano derecha–. Facundo Serrano.

–Yo...

–Mari Luz Santos Forcadell, lo sé.

La mano era tan firme como su voz o sus ojos, y al mismo tiempo, tan cálida y amigable como ellos.

Los de la paciente se llenaron de lágrimas por primera vez.

–¿Qué me ha... sucedido?

–Nada que no tenga solución –el doctor se sentó a su lado, en la cama, y mantuvo su mano derecha entre las suyas–. Eh, eh, nada de lágrimas. Cada lágrima es un tiempo precioso que se consume y se pierde. Si estás aquí, es porque en el último instante gritaste con todas tus fuerzas, rebelándote al infortunio.

–Yo no grité.

–Sí, sí lo hiciste –manifestó el médico moviendo la cabeza de arriba abajo con energía–. Consciente o inconscientemente, apretaste los puños, liberaste la rabia que te dominaba, abriste una puerta a tu propio futuro.

–No entiendo nada –las lágrimas afloraron por segunda vez.

–Es lógico. Los primeros momentos siempre son... desconcertantes.

–¿Qué clase de sitio es este?

–La residencia de los corazones rotos.

Lo mismo que le había dicho la enfermera.

–No existe ninguna residencia con semejante nombre.

–Tú estás en ella.

–¿Pero por qué?

–Caramba, pues porque se te rompió el corazón.

–No se burle.

–No me burlo. ¿Acaso lo notas? –le puso su mano en el pecho, extendiéndosela, para que abarcara el mayor espacio posible.

–No –balbució nuevamente asustada Mari Luz.

–Porque está roto –insistió el médico, aunque sin ninguna alarma en la voz–. Ahora de lo que se trata es de conseguir repararlo.

Mari Luz sostuvo su mirada.

Acompasó su respiración.

–¿Es una broma? –suspiró apesadumbrada.

–No.

–¿Hay cámaras de televisión ocultas por algún lado?

–No.

–Entonces estoy soñando –cerró los ojos dispuesta a dejarse llevar.

–Mari Luz –el hombre hizo una pausa muy larga, hasta que ella los abrió de nuevo–. La vida es un sueño, pero esto no. Esto es real. Sucede aquí –le puso el dedo índice de su mano derecha en la frente.

–Si sucede aquí, es que no es real.

–Al contrario, todo lo que sucede ahí –repitió su gesto golpeando su frente suavemente con la punta de su dedo índice– es lo más real de la vida, de la de cada cual, porque es cuanto tenemos, nuestro propio universo.

–¿Lo estoy imaginando?

–Llámalo como quieras.

–Si me pellizco, despertaré.

–Hazlo.

Se hizo daño. Sintió el pellizco. Eso la desarboló aún más.

El médico le hablaba de vida, pero le decía que todo estaba en su mente, en su cerebro.

–¿He muerto? –se estremeció.

–Al contrario.

–No entiendo nada –suspiró ella.

–No puedes entenderlo todavía, pero lo harás, descuida. Todas y todos os sentís igual. Necesitas descanso, porque el golpe ha sido muy fuerte. Cuando se rompe un corazón... –movió la cabeza de un lado a otro–. De todas las experiencias de la vida, esta es sin duda la más dura y amarga, la peor, y sobre todo a tu edad, por primera vez, con el primer amor.

–No me hable del primer amor.

–Has de empezar a confiar en mí. Cuando lo hagas, te será mucho más fácil confiar en ti.

–¿Cómo quiere que confíe en usted?

–Soy tu médico.

–¿Y qué va a hacer, operarme, ponerme otro corazón?

–Simplemente intentaré que vuelvas a quererte a ti misma.

–¡Yo ya me quiero a mí misma!

–No, no es verdad. Te han herido y te han roto el corazón. Eso impide quererse a uno mismo.

–Todos somos vulnerables al amor.

–Tú te lanzaste a una piscina sin agua. Y sabiéndolo.

–No es verdad –le cayeron dos lágrimas por las mejillas.

–Necesitas descansar –Facundo Serrano le presionó la mano libre–. Ya verás como esto te gustará. Mañana lo verás todo de forma muy distinta. Comprenderás muchas cosas.

–¿Pero hasta cuándo?

–Hasta que estés bien.

–Mis padres…

–No te preocupes por ellos. No saben nada. Ni lo sabrán. Aquí no hay relojes, el tiempo no cuenta. Un corazón roto no puede arreglarse sólo con tiempo, y menos a tu edad. Por eso aquí no existe. Todo lo que necesitas es paciencia, esperanza, paz, reflexión y, por supuesto, lo más esencial: valor.

–¿Valor?

–Para enfrentarte a la vida.

Aquel miedo previo al estallido de su corazón.

Miedo a dar un paso en su nuevo estado.

Tan llena de soledad y amargura.

Las últimas palabras del médico fueron como un bálsamo en su ánimo. Sintió un inexplicable peso en los párpados, la súbita presencia de un sueño envuelto en paces.

Tal vez fuese lo que más necesitase.

–Confía en mí –la voz del doctor pareció surgir desde una nueva distancia–. Pero, sobre todo, confía en ti.

Confiar en ella.

¿Cómo?

–También esto está en tu interior, pero aquí.

Fue lo último que sintió.

La mano del hombre en su pecho.

Como una caricia.

Luego se durmió.

Era su tercer despertar.

La tercera vez que abría los ojos después de haber perdido el conocimiento.

Primero, la ambulancia. Luego, la habitación del hospital, o la residencia, como la llamaban. Ahora, de nuevo en ella, de día, con la luz de una hermosa mañana penetrando a raudales por la ventana abierta.

¿Cómo había podido dormir?

Se extrañó de no llevar el gota a gota. Había desaparecido, lo mismo que la cánula en su brazo. Ni siquiera tenía una marca del pinchazo o del esparadrapo con el que la habían fijado a su piel.

Mari Luz se incorporó.

Se encontraba bien, tanto que tuvo deseos de echar a correr. No lo hizo por precaución. Poco a poco, los recuerdos volvieron a ella. El adiós de Juan Manuel, su depresión fulminante, la manera en que se hundió, el dolor en el pecho...

Se llevó una mano al corazón.

Y se estremeció al comprobar que seguía sin latir.

Así que el absurdo... se prolongaba.

—Porque, desde luego, es un absurdo, claro —se dijo en voz alta.

Miró la mesita, sus anillos de plata, su reloj. Casi temió cogerlo para comprobar la hora. Aquel médico, el doctor Serrano, le había dicho que el tiempo allí no existía.

Otro absurdo.

Pero si eso fuese cierto, no tendría que llamar a sus padres, ni preocuparse de nada, porque de pronto se sentía bien, en paz, calmada, como si el mundo real fuese algo tan lejano que no valiese la pena, de momento, regresar a él.

Su reloj se había detenido.

Marcaba exactamente la hora y el día en que se le había roto el corazón.

Suspiró con fuerza, dejó el reloj en la mesita y se incorporó del todo. Le gustó sentir el frío en los pies. Le vivificó el cuerpo. Se acercó a la ventana y se asomó a ella. Al instante se llenó de algo nuevamente inesperado, y no por ello menos grato. Al otro lado no había ninguna ciudad visible; solo árboles, un jardín frondoso, el monte que se extendía a lo lejos cubriendo la tierra igual que un manto verde. Si algún paisaje resultaba idílico, era aquel. Proporcionaba una serenidad espiritual a prueba de todo.

Como si todos los Juan Manueles del mundo quedaran muy lejos.

El jardín no estaba vacío. Dos docenas de personas se movían en él, paseando, tomando el sol, leyendo o charlando entre sí. Las miró con detenimiento, una a una, pese a la distancia, y descubrió que ninguna debía de superar los treinta años. Más aún, la mayoría eran jóvenes, como ella. Adolescentes de ambos sexos e, incluso, algún niño o niña. Solo superaban la treintena los médicos y las enfermeras. Localizó a varios, con sus batas blancas. Los pacientes iban vestidos con sus ropas de calle, salvo algunos que llevaban bata o pijama de color verde.

Como el que llevaba ella.

Abandonó la ventana y dirigió sus pasos hacia la puerta. Antes vio el cuarto de baño y se introdujo en él para hacer sus necesidades matinales y lavarse los dientes. No faltaba de nada: cepillo, pasta, jabón, un par de cremas hidratantes, peine…; lo necesario para no salir hecha un adefesio. De momento renunció a ducharse. Quería hablar con alguien, con quien fuera. Cuando salió del cuarto de baño abrió la puerta del pequeño vestíbulo, la del armario. Su ropa estaba perfectamente colgada. La misma ropa con la que había llegado hasta allí. Pensó en vestirse, pero decidió esperar.

Cuando abrió la puerta de su habitación, sacó la cabeza y vio que se encontraba en la mitad de un largo pasillo lleno de puertas. La suya tenía el número setenta y nueve. No localizó a nadie cerca, así que vaciló una vez más.

Finalmente se arriesgó.

Caminó hacia la izquierda, porque por la derecha el pasillo no conducía a ninguna parte. La primera enfermera que se cruzó con ella la saludó con un alegre «¡Buenos días!».

Mari Luz correspondió al saludo repitiendo las dos palabras y siguió andando. Ya no apareció nadie más hasta que llegó a la zona donde las enfermeras de la planta tenían el cubículo principal. Detrás del mostrador había una. Se apoyó en la madera y esperó a que la mujer terminara lo que estaba haciendo o reparara en su presencia. Cuando lo hizo y levantó la cabeza, le sonrió. Era muy delgada, distinta a la de la noche anterior, la enfermera Anastasia. Esta se llamaba Fuensanta.

Por un momento, Mari Luz pensó que si el tiempo allí no existía, ¿cómo podía decir aquello de «la noche anterior»?

Fue solo un pensamiento.

–Hola, tú eres la nueva.

–Sí.

–Te hemos dejado dormir. La primera medida para recuperarse, de lo que sea, es el descanso. ¿Tienes hambre?

Descubrió que sí, y mucha.

Asintió con la cabeza.

–Voy a pedirte el desayuno de inmediato, no te preocupes. ¿Lo tomarás en tu habitación o prefieres hacerlo en el comedor?

–No sé.

–Bueno, el primer día, una siempre está un poco rara –hizo un gesto de complicidad y le guiñó un ojo–. Tómatelo en tu habitación, y después de que hables con el doctor ya podrás moverte libremente.

–Vale.

La enfermera fue a pulsar un intercomunicador.

–¿Hay teléfono? –preguntó Mari Luz.

–¿Teléfono? –se detuvo–. No. ¿Para qué?

–Para llamar.

–¿A quién?

–A mi casa.

–Nadie sabe que estás aquí, solo tú. Por lo tanto, no hay comunicación posible con el exterior.

El exterior.

Se resignó. Mejor se lo comentaba al médico. O estaban todos locos, o lo estaba ella, o…

¿Qué?

¿Estaba realmente en la residencia de los corazones rotos, con el suyo hecho trizas por el rechazo de Juan Manuel, dispuesta a recuperar sus latidos para seguir viviendo?

Caminaba de nuevo hacia su habitación, envuelta en sus pensamientos.

–Hola, tú eres nueva, ¿verdad?

Volvió la cabeza.

Era una chica más o menos de su edad; rostro blanco, aniñado, cabello del color de la paja, labios pequeños, ojos lánguidos, barbilla puntiaguda y una extrema delgadez cubriendo su cuerpo, con los huesos tan visibles que parecía no llevar piel encima. Vestía con el mismo pijama que ella.

–Sí –dijo.

–Me llamo Alicia, ¿y tú?

El desayuno era muy bueno, abundante y apetitoso.

Mientras lo devoraba, sentada en la cama, Alicia la observaba con aquellos ojos tan lánguidos y especiales, transparentes. Ojos de mujer detenida en la frontera, de niña al borde del abismo. Mari Luz percibía su curiosidad.

−Contigo empatamos −anunció su compañera de pronto.

−No entiendo.

−Ahora ya hay el mismo número de chicas que de chicos.

−¿Aquí?

−Ajá −asintió Alicia.

−¿Y eso qué significa?

−Pues que hay el mismo número de corazones rotos entre ellos y entre nosotras −hizo un gesto evidente−. Por lo visto, antes había más chicas, hace unos años. Ahora nos estamos poniendo a la par. Y no es que eso sea bueno. Quiere decir que también nosotras podemos ser crueles, y jugar con los sentimientos.

Mari Luz apuró hasta la última gota del yogur.

−Yo no entiendo nada de lo que está pasando −reconoció.

−Ya te acostumbrarás −Alicia se encogió de hombros−. Al comienzo, todo es... bastante extraño.

−Es más que extraño, ¿no te parece?

−Según cómo lo mires. ¿Verdad que te ha desaparecido la ansiedad?

−Sí.

−Y el miedo, la sensación de vacío, todo.

−Ya, pero...

−Esto es una especie de limbo −abarcó cuanto la rodeaba con sus manos abiertas y los brazos extendidos−. Nos protege. Una inmunidad sin la cual estaríamos perdidas, porque no hay dolor como el de un corazón roto −la miró con delicada ternura−. ¿Habías sentido tú algo igual en tu vida?

–No –reconoció Mari Luz.

–Yo pensé que no lo resistiría, que me moriría de tanto sufrir –suspiró Alicia–. Supongo que es porque en mi caso hay una diferencia.

–¿Cuál?

–Mi novio no me dejó, murió.

Mari Luz se quedó sin habla.

–Íbamos en coche –continuó su compañera, con los ojos fijos en el suelo–. Ni siquiera era de noche, sino un domingo por la mañana. Marcelino conducía sin prisa, cantábamos, reíamos. Nos dirigíamos a la casita de unos amigos, en plena montaña. Salimos de la autopista y al llegar a la carretera nacional nos detuvimos en un *stop*. Lo malo es que el que venía detrás de nosotros no lo vio, o lo ignoró… El caso es que nos dio por detrás, nos empujó, y acabamos en mitad de la carretera justo cuando venía otro coche de frente a mucha velocidad –se estremeció de forma visible antes de agregar–: Puedes imaginarte el resto.

–¿Murió?

–En mis brazos, mirándome a los ojos, sabiendo que era el fin mientras me pedía que fuera feliz.

–Dios mío –Mari Luz se llevó una mano a los labios.

–Yo no me hice ningún rasguño, ¿sabes? –Alicia levantó la cabeza–. Dijeron que fue un milagro, pero… A mí me pareció tan injusto… Tan cruel… Pensé que si hubiéramos muerto los dos…

–Puede que estés viva por algo –logró decir Mari Luz.

–Es lo mismo en lo que me insiste el doctor Serrano, que si estoy viva, es por alguna razón, y que debo afrontarlo, por mí, y también por Marcelino –volvió a sumirse momentáneamente en el silencio. Luego musitó–: ¿Sabes lo duro que debe de ser morirse, comprender que tu vida se acaba, inesperadamente, renunciar a todo, y tener la lucidez última para decir a quien más amas que sea feliz, que no se rinda, que viva?

Mari Luz se sintió igual que si se asomara a un precipicio.

La inundó un vértigo extraño.

–¿Cómo te encuentras? –se atrevió a preguntar tras otros dos o tres segundos de silencio.

–Mucho mejor –Alicia lo reconoció con una sonrisa–. Lo estoy superando.

–Eso no se puede superar.

–Pues desde que llegué aquí...

–¿Hace mucho?

–No lo sé. Los días pasan, hay un amanecer, un anochecer..., pero es imposible contarlos. Algo lo impide. Por más que lo intentes... es como si cada mañana fuera la primera, o la última. Yo diría que sí, que llevo bastante, pero...

Se sintió un poco fuera de lugar por hacer aquella pregunta.

–¿Cuándo se te rompió el corazón?

–Al día siguiente del entierro de Marcelino. Me dieron somníferos, calmantes... Pero al despertar vi un inmenso agujero negro bajo mis pies, y sentí el vacío en mi mente. No quise enfrentarme a nada, ni al presente ni al futuro. Me hundí. Entonces sentí aquel dolor tan intenso, y pude escuchar cómo mi corazón se rompía en mil pedazos. Una explosión brutal, terrible. Cuando desperté, estaba aquí.

Mari Luz apartó la bandeja del desayuno. Seguía sin creer en fantasías. Se pellizcó y el dolor le demostró que continuaba consciente, viva.

–Ya te acostumbrarás –Alicia reparó en su gesto–. La verdad es que esto es maravilloso, el único lugar posible para gente como nosotras, que lo hemos dado todo, sin reservas, y ahora no tenemos nada salvo el dolor del recuerdo. No hay tiempo, no hay prisa, no hay urgencias, no hay miedo.

–Pero esos recuerdos no se borran.

–Por supuesto que no. Hemos de vivir con ellos, de eso se trata. Aquí nos enseñan a enfrentarnos a eso y nos dicen que mientras hay vida, hay esperanza, y un camino por el que seguir. Nuestro compromiso reside en tomarlo y confiar en nosotros mismos hasta el fin.

–¿Qué has sentido al contarme tu historia?

–Serenidad.

–¿En serio?

–¿Crees que si no estuviera aquí podría contarte mi historia tal como te la he contado, enfrentándome a ella?

–No lo sé.

–Cuéntame la tuya.

–No.

–¡Vamos, hazlo! –Alicia le puso una mano en el brazo–. Es la primera prueba que tienes que superar –se lo presionó un poco más–. ¿Qué pasó con tu novio?

–Lo más vulgar.

–¿Te dejó?

–Sí.

–Típico. ¿Qué edad tenía?

–Dos años más que yo.

–¿Inmadurez u otra?

–No lo sé –Mari Luz apretó los dientes.

–Tranquila. ¿Era el primero?

–Sí, el primero, el único…

–Nunca es el único, sino el último –Alicia se atrevió a sonreír.

–Es muy fácil decirlo.

–Yo lo he aprendido aquí, y tú también lo harás. Ahora dime, ¿cómo te sientes?

–Igual.

–¿Igual que cuando se te rompió el corazón o igual que antes de contármelo?

–Igual que antes de contártelo.

–¿Lo ves? –le hizo un gesto triunfal–. No has llorado, no te has puesto nerviosa, no te has hundido ni le has insultado... Esto es lo que te da este lugar: la paz necesaria para comenzar a recuperarte.

–¿Pero cómo hemos venido a parar aquí? No me digas que todo el mundo al que se le rompe el corazón por amor acaba en este lugar.

–Hay corazones que se entristecen con la pérdida del amor, otros que gritan, otros que lloran, otros que se desesperan, otros que son fuertes... No a todo el mundo se le rompe el corazón de verdad. –Alicia se puso en pie, se acercó a la ventana y miró hacia el jardín–. Por lo que sé, ahora, cuando un corazón se rompe, es decir, cuando realmente estalla de dolor, hace tanto ruido y es tan fuerte la energía que desprende, que ellos lo saben, lo perciben.

–¿Ellos?

–La residencia –volvió a mover una mano a su alrededor–. Es como uno de esos lugares en los que hay un sismógrafo que detecta la magnitud de los terremotos y señala su escala destructiva. Exactamente lo mismo.

Mari Luz parpadeó.

Todo parecía tan sencillo...

No le dolía nada. Podía pensar en Juan Manuel sin más que una leve ansiedad.

Iba a formular una nueva pregunta a su compañera, pero la idea murió en sus labios cuando la puerta de su habitación se abrió de pronto y por ella apareció la enfermera Anastasia, con sus redondeces y su franca sonrisa de aliento.

–Vaya –dijo–. Veo que ya tienes una amiga aquí dentro.

–Ya me iba –se excusó Alicia.

–No, la que se va es ella –señaló a Mari Luz y luego la miró para decirle–: Te espera el doctor Serrano. Vamos, te acompañaré a su despacho.

–¿Me... visto?

–No, no hace falta. Es solo una primera charla informal. Ponte estas zapatillas para que no vayas descalza y eso es todo.

Le entregó dos chanclas de tela blanca, ligeras y cómodas.

–Suerte –le deseó Alicia.

Salieron de la habitación como si fueran a dar un paseo.

Facundo Serrano estudiaba unos análisis con ojo crítico.

De vez en cuando profería un gruñido, un suspiro, o se rascaba la barbilla sin perder ni un ápice de su atención. Mari Luz no se había movido de la silla que ocupaba, al otro lado de su mesa. De hecho se sentía igual que cuando la llamaba uno de sus tutores en la escuela y le hablaba de sus notas.

Su expectación fue en aumento.

La enfermera Anastasia le acababa de decir, de camino hacia allí, que el doctor Serrano era una eminencia. Ninguno de sus pacientes se había perdido.

Perdido equivalía a quedarse en la residencia... para siempre.

Eso era una garantía.

–Bueno, bueno, bueno –de nuevo tres palabras iguales.

Mari Luz enderezó la espalda.

–¿Has dormido bien?

–Sí.

–¿Has desayunado?

–Sí.

–¿Has visto esto?

–Aún no, pero he hablado con una chica, Alicia.

–Alicia Medina, sí. Una buena muchacha.

El doctor dejó los análisis y los informes sobre la mesa. Los señaló antes de acodarse en ella y unir los dedos de sus manos, uno a uno, para acercarlos a su rostro.

–Desde luego, ha sido un estropicio –dijo–. Casi de primera categoría.

–¿Se refiere a... mi corazón?

–En efecto.

–¿Hay muchas categorías?

–Cinco –manifestó el hombre–. Rotura máxima, muy difícil de arreglar porque, además de estallar, lo hace en tantos pedazos que algunos son apenas perceptibles, pura arena; rotura grave, muchos pedazos, pero ninguna pérdida sustancial; rotura normal, menos de veinticinco pedazos y más de diez; rotura leve, entre diez y cinco, y rotura puntual, menos de cinco.

–¿Cuál es la mía?

–La normal.

Ni siquiera era grave o máxima. Normal. Estaba segura de querer a Juan Manuel con todas sus fuerzas, con todo su ser, con toda su energía...

–Sé lo que estás pensando, y la clase de rotura no tiene nada que ver con la clase de amor. Se trata más bien de tus defensas, de tu manera de tomarte la vida. Hay gente muy trágica, que dramatiza todo lo que hace, y hay gente más racional, menos visceral e impulsiva. A ti, por ejemplo, te costó ceder, caer en las redes del amor. No te veías capaz, no te creías madura... Y todo esto te protegió un poco, como muestra tu gráfica afectiva, aunque luego te rindieras y entregaras todo tu amor a ese chico. De todas formas, dentro de ser normal, se acerca al límite: veintitrés pedazos.

Intentó imaginarse su corazón roto en veintitrés pedazos y no pudo.

Un corazón era una masa de carne, de músculos y nervios.

¿O no?

—¿Y ahora qué? —le preguntó al doctor Serrano sin estar muy segura del sentido de su duda.

—Pues ahora vamos a tratarte para recomponértelo —afirmó el hombre.

—¿Cómo?

—Terapia correctiva...

—¿Me va a operar? —lo interrumpió asustada.

—No, no es tan sencillo —recuperó su posición en la butaca echándose hacia atrás—. Verás, cuando hablo de terapia correctiva me refiero a que aquí vas a tener la oportunidad de hacer justamente eso: corregir tus errores. No es una segunda oportunidad. Eso no. Es una forma... más bien un método, de que psicoanalices tu antes y tu después, tu manera de entender la vida con y sin amor, tus reacciones. No vamos a quitarte pasión, ni a disminuir tus impulsos. Tú siempre serás tú. Pero se dice que la experiencia es la forma en que llamamos a nuestros errores. Y el primer amor, sobre todo cuando fracasa, es una de las fuentes de experiencia más importantes que desarrollamos en la vida. Muchos chicos y chicas quedan traumatizados por él, unos durante años y otros incluso para siempre. Aquí buscamos enfrentaros a la normalidad, ayudaros a superarlo, a creer en la vida y situaros en un plano más elevado, por duro y amargo que haya sido el golpe.

–¿Entonces, cómo se recompone el corazón?

–Lo haces tú –el doctor sostuvo su mirada–. Nosotros te ayudamos, te damos tiempo, te ofrecemos los servicios de personas cualificadas con las que podrás hablar. También tendrás terapias de grupo, podrás compartir lo que te ha sucedido y escuchar a otros chicos y chicas, y a gente algo mayor, que han pasado por algo igual o parecido. Tú misma, tarde o temprano, verás cómo todo se va poniendo en su sitio. Aquí reflexionamos sobre el amor y su universo a la vez que arreglamos esos corazones rotos. Y no olvides que si estás aquí, es porque nos llamaste.

Mari Luz pensó en las palabras de Alicia, aquello del sismógrafo.

De nuevo las preguntas se agolparon en su mente, fatigándola.

–¿Cuándo…?

–Depende de ti –la voz del médico era dulce–. Un día, tu corazón volverá a latir de nuevo, sin previo aviso, cuando menos te lo esperes. Esa será la señal de que todo ha vuelto a la normalidad. Entonces regresarás.

–Dígame que es una broma.

–No lo es.

–Por favor…

–Mari Luz, ¿te late el corazón?

–No.

–¿Funciona tu reloj?

–No.

–¿Cómo te sientes?

–¿Qué quiere decir?

–¿Estás tensa, nerviosa, preocupada?

—Me siento… en paz.

—¿Estabas así, en paz, cuando él te dijo que todo había terminado?

—No.

—Entonces…

—¿Por qué nadie me ha hablado jamás de un lugar así? —apretó los puños con algo de desesperación.

—Porque no le habrías creído, le habrías tomado por loco o por loca, como si te dijeran que han visto un ovni. Y porque es un secreto que mantenemos todos los que hemos tenido roto el corazón.

—¿Usted…?

—Sí, más o menos a tu edad.

—O sea, que hay mucha gente.

—Más de la que te imaginas. Incluso dos o tres familiares y amigos tuyos.

—¿En serio?

Facundo Serrano se echó a reír.

—La enfermera Anastasia te pondrá al corriente de los horarios, las sesiones de terapia, las consultas y todo lo demás. Ahora deberías salir a dar tu primer paseo por estos maravillosos parajes. Necesitas algo impagable y que siempre tenemos de forma gratuita sin apreciarlo en lo que vale: el sol.

—Oiga, ayer tenía un suero conectado a mí, de color verde.

—Los primeros auxilios requieren un poco de esperanza.

Sí, decían que el color de la esperanza era el verde.

—Así que eso ya está.

—Por lo menos, es lo que puede inyectarse. Lo otro no.

—¿Y qué es lo otro?

–Un poco de madurez, un poco de comprensión, un poco de reflexión, un poco de alegría...

Mari Luz cerró los ojos.

Cada pregunta le parecía absurda, pero más lo era la respuesta.

Y sin embargo estaba allí.

Todo era verdad.

Sí, lo mejor era que saliese a tomar el sol, a estirar las piernas, a reflexionar.

Había una nueva vida por allí, en alguna parte.

No quiso bajar al jardín en pijama ni ponerse una bata.

Primero se duchó, se lavó el pelo, y al instante se sintió un poco mejor, más cómoda y segura. Después se vistió, con su ropa. Alguien la había lavado y estaba en perfecto estado. En el armario había una cesta con una nota adherida a un lado: «Deja tu ropa sucia aquí, cada noche, y estará limpia al día siguiente».

Mejor que el mejor hotel.

Tuvo miedo de salir para bajar al jardín. Optó por volver a la ventana y estudiar los alrededores desde allí. Se fijó en el verdor del monte, formado por sinuosas colinas de trazado muy suave, y en el cielo azul, con apenas unas nubes blancas, algodonosas. Luego reparó en los bosques. Se encontraba en un tercer piso, así que los ojos le llegaban a la altura de las copas más altas. Eran árboles densos, abigarrados, frondosos.

Pero lo más hermoso eran los jardines.

Parterres de flores, setos, senderos que caracoleaban entre los árboles, esculturas, estanques, fuentes... Si hubiera tenido que describir el paraíso, habría imaginado algo parecido.

Un lugar en el que nada malo podía suceder.

Un lugar perdido en alguna parte.

El doctor Serrano había tocado su frente.

¿Y si cada cual se imaginaba la residencia de los corazones rotos según su forma de ver las cosas... o de desearlas?

Una parte de sí misma luchaba contra aquello; tenía la cabeza muy bien puesta sobre los hombros. La otra parte lo asimilaba, se dejaba llevar, casi arrastrar, sin ánimo de lucha, pero sin llegar a rendirse. Tal vez porque quería creer en ello, porque lo necesitaba, porque desde que no sentía los latidos de su corazón se encontraba mejor, más serena, más calmada y dispuesta a reflexionar, a preguntarse qué errores había cometido en su relación con Juan Manuel.

Y en eso consistía la terapia, se lo acababa de decir el doctor Serrano.

Contempló aquel limbo de inocencias desde la ventana.

Dos chicas hablaban y reían sentadas en un banco. El eco de sus voces llegó hasta ella. Un chico daba de comer a los peces de un estanque y los animalitos se peleaban por conseguir las migajas de pan, de forma que a ras de agua se veía una especie de masa móvil de color rojo sacudiéndose a sí misma. Otra chica leía un libro, apartada del mundo. Un poco más allá, tres muchachos parecían jugar a algo. Una enfermera charlaba con uno de los hombres de mayor edad, que no rebasaba la treintena. Una adolescente muy joven dormitaba plácida bajo uno de los árboles.

Había pájaros, luz, vida.

Hizo un esfuerzo, solo para probarse.

Cerró los ojos y recordó la voz de Juan Manuel:

—Te quiero, te quiero mucho. Besar tus labios es un regalo; tocar tu piel, la mayor de las bendiciones; verme reflejado en tus ojos, como creer en la eternidad. Lo daría todo por hacer de este instante un segundo eterno, mi amor.

Sintió el beso en sus labios.

Y abrió los ojos.

Juan Manuel le había dicho aquello apenas un mes antes. Recordaba cada caricia, cada beso, cada susurro, cada aliento. Era una huella, una presencia tangible en su carne y en su alma. Se había rendido a la realidad del amor. Qué extraño. Rendida y entregada.

Justo para despertar arrebatada de todo.

Quiso llorar y no encontró lágrimas en sus ojos. Quiso gritar y no halló energía en su pecho. Quiso sentirse mal y fue como si aquella esperanza inyectada gota a gota la noche anterior le rebosara su roto corazón.

No podía llorar, ni gritar, ni sentirse mal.

Estaba destrozada pero no lo sentía.

No tenía corazón.

Mari Luz tuvo un estremecimiento.

La residencia, aquel paraíso, ejercía el mejor de los influjos; era capaz de percibirlos a flor de piel y en su interior, saturando todos aquellos poros abiertos al desconsuelo horas antes, cuando su corazón había estallado.

Todo era cierto, una vez más.

Y ella solo tenía que dejarse llevar.

¿Por qué no?

Sin tiempo, sin dolor, sin nada que no fuera…

Mari Luz abandonó la ventana y caminó con paso resuelto hacia la puerta de su habitación, decidida a bajar al jardín de una vez y continuar con aquella insólita experiencia.

Por llamarla de alguna forma.

Segunda parte:
Conexión

Estaba ya despierta cuando escuchó el rumor.

La puerta de la habitación se abrió de forma queda.

Continuó con los ojos cerrados e inmóvil. Si era la enfermera Anastasia, actuaba con sigilo, así que lo más probable era que si la veía dormida, no la despertase. Llevaba ya algunos minutos consciente, con las sábanas pegadas al cuerpo y muy pocas ganas de levantarse, ducharse y vestirse. La claridad del día, que penetraba por la ventana, la asustaba. Después de dar un par de vueltas tratando de recuperar el sueño, ya no insistió en su propósito. Ahora se encontraba boca arriba.

Sintió una presencia.

Más que en la habitación… allí, allí mismo, a su lado.

Como si quien acabase de entrar la estuviera mirando muy fijamente… y de cerca.

No pudo resistirlo más.

Entreabrió los ojos.

No era ninguna enfermera, sino un hombre, así que primero se asustó. El azoramiento duró apenas un segundo.

Lo justo antes de comprobar que él también llevaba un uniforme blanco de enfermero.

–Perdona, lo siento –se excusó él.

Mari Luz se sentó en la cama. Tuvo un detalle de coquetería. Pensó que debía de estar horrible y se llevó una mano al pelo. Fue un gesto instintivo. Casi al instante comprendió el porqué de su reacción, como si el subconsciente se le hubiese adelantado.

Su visitante no tendría más allá de diecinueve o veinte años, veintiuno a lo sumo.

Y era muy atractivo.

–¿Por qué te has acercado con tanto sigilo?

–Pensaba que dormías y no quería irrumpir en la habitación como suelen hacer las enfermeras, dando golpes y hablando en voz alta. Los primeros días es importante que descanses.

En su placa de identificación leyó el nombre: Jacinto. Allí todas las placas llevaban el nombre de pila, no el apellido. Una familiaridad curiosa.

–No te había visto –dijo ella.

–Ayer libraba.

Seguían prácticamente igual, Mari Luz sentada en la cama, con la espalda apoyada en la pared, y él de pie a su lado, como una estatua. Una inmovilidad barrida por la furia de sus ojos y el clamor de sus pensamientos, corriendo a toda velocidad por sus mentes. De la misma forma que el enfermero parecía mirarla, estudiarla, como si fuese una aparición, le miraba y le estudiaba ella, con un arrebato extraño.

Era más que atractivo; era guapo, interesante, labios gruesos, ojos almendrados, nariz prominente, pelo muy negro, mandíbula recta, buen cuerpo, hombros anchos.

–¿Cómo te encuentras?

La pregunta más trivial, para romper el inesperado silencio.

–Bien. Bueno… creo.

–Sí, es lógico que te sientas rara.

–¿Rara? –se burló–. Lo raro es este sitio.

–Qué va. Es perfecto. Ya lo verás.

–¿Llevas mucho aquí?

–No, menos de un año. Soy voluntario.

–¿Voluntario?

–Estudio medicina y hago prácticas.

–¿Pero dónde estamos? ¿Hay una parada de autobús o de metro cerca?

–Eh, eh –Jacinto se echó a reír–. Una de las normas esenciales es no hacer preguntas. Crea ansiedad. Cuando la gente va a un hospital, lo que quiere es curarse, no saber si hay una parada cerca para escaparse de noche. Además, ¿adónde irías con el corazón roto?

–¡Oh, Dios! –Mari Luz se llevó las manos a la cara–. ¡Una panda de tarados curando corazones!

–Te equivocas –la voz del joven era agradable, paciente–. Puede parecerte asombroso, pero no lo es. Las personas se operan de esto y aquello, se rompen piernas y brazos, van al psiquiatra para que les ponga en orden la cabeza. ¿Qué tiene entonces de extraño que haya un lugar específico para arreglar el órgano más importante del cuerpo, sobre todo cuando se rompe?

Mari Luz sintió de nuevo aquel cansancio que no la abandonaba.

Cerró los ojos.

–Vamos, has de levantarte, darte un buen baño y vestirte. Te traeré el desayuno en… ¿veinte minutos?

–No sé si podré –suspiró ella.

–Podrás.

—Me siento como... —no encontró las palabras adecuadas.

—Abatida, agotada, atrapada y muchas cosas más. Pero eso durará muy poco. En cuanto empieces las sesiones, ya verás cómo te sientes mejor.

—¿Qué sesio...?

La pregunta murió en sus labios porque Jacinto acababa de cogerle la mano para tomarle el pulso. Sintió una descarga eléctrica.

—Las tienes frías —musitó él.

Fue igual que naufragar en sus ojos.

Algo indeleble, indefinible, los hacía hermosos, amigables, llenos de confianza.

—El pulso es bueno —manifestó.

—¿Cómo puedo tener pulso si mi corazón no va?

—Ahora, la parte de tu cuerpo que está al mando es la cabeza. ¿Qué ibas a preguntar antes?

—Has dicho que me sentiré mejor cuando empiece las sesiones.

—Ayer te dejaron descansar, pero hoy toca iniciar la terapia. En una hora he de llevarte al pabellón B, sala nueve.

—¿Y eso qué es?

Jacinto le dejó la mano en el regazo y se apartó de su lado. Su sonrisa iluminó la habitación mucho más que el sol. Se le formaban dos hoyuelos en las mejillas y sus ojos transmitieron mil emociones vivas.

—Ya lo verás por ti misma —dijo con misterio—. Yo no puedo explicarte nada porque eso va contra las normas.

—¿Aquí hay normas? —pareció burlarse ella.

El enfermero la apuntó con un dedo inflexible.

—Dúchate y vístete —le ordenó—. Regreso en veinte minutos con el desayuno, y pienso entrar sin llamar, así que si te pillo desnuda...

–No te atreverás –abrió los ojos Mari Luz.

Jacinto ya estaba camino de la puerta.

Así que ella saltó de la cama en cuanto él hubo abandonado la habitación.

Cuando llegó a la sala nueve del pabellón B, jadeaba por la carrera.

Era la última. Lo supo porque tan solo quedaba una silla vacía. Todavía con la puerta sin cerrar, detenida en el quicio, vaciló un poco asustada al sentir las miradas de los demás fijas en ella.

–Pasa, pasa, querida.

La mujer que presidía la reunión era alta y enjuta, ojos graves protegidos detrás de unas severas gafas de montura negra, labios rectos, llevaba el pelo cuidadosamente recogido en un moño y su aspecto revestía cierto aire notable. Vestía una bata blanca con la correspondiente plaquita identificativa: Nuria.

–Siéntate –la invitó.

Fue hasta la silla. Mientras daba aquellos tres pasos hizo un barrido rápido de la estancia y contó cinco chicas y siete chicos, todos entre la adolescencia, trece o catorce años, y la veintena como techo aproximado. Una de las chicas era la que había hablado con ella al despertar la primera vez, Alicia. Su sonrisa le resultó la más diáfana, porque el resto la observaba con sentimientos encontrados que iban desde la curiosidad hasta la indiferencia, aunque más lo primero que lo segundo. Uno de los chicos incluso tenía la boca abierta, igual que si acabase de ver a una diosa. La compañera que estaba a su lado le dio un codazo y la cerró. La mezcla era heterogénea, desde el buen físico de otro de

los muchachos hasta la belleza de dos de las jóvenes, con-
trastando con la normalidad de la mayoría o incluso la feal-
dad de uno que parecía tener más dientes en la boca que espacio para contenerlos. Mari Luz no quiso ser grosera y
centró toda su atención en la mujer.

–Soy la doctora Nuria –se presentó. Y luego, señalán-
dolos uno a uno, agregó–: Tus compañeros son Carlos, Raquel, Chema, Maite, Ricardo, Edelmira, Pol, Renata, Alberto,
Alicia, Andrés y Bartolomé –finalmente la apuntó a ella y
anunció a los demás–: Vuestra nueva compañera, Mari Luz.

Algunos susurraron algo en voz alta: «hola», «bienve-
nida», y poco más.

Aborrecía sentirse observada, así que prefirió romper
un poco aquella situación.

–¿Qué he de hacer? –preguntó.

–Por ser el primer día, hoy te dedicarás a escuchar y
nada más –respondió la mujer–. Ya te tocará el turno de
contar tu experiencia mañana, o pasado, o cuando te sientas
con fuerzas y, lo más importante, cómoda para hacerlo.

–Bien –asintió Mari Luz.

–Ahora, lo importante, lo más esencial, es que estés relajada y prestes atención. No creas que los problemas de los
demás te son ajenos. Integrarte es básico. Aquí formamos un
equipo, una entidad solidaria. Comprendiéndoles a ellos te
comprenderás a ti misma. No lo olvides. Siempre tendemos a
creer que lo que nos pasa a nosotros es lo más importante y
grave, y no es así. No somos ni excepcionales ni únicos. El
menor problema puede llegar a ser una montaña para una persona. Así que aquí todos confesamos lo que nos sucede, todos
escuchamos, todos hablamos y todos opinamos. ¿De acuerdo?

–Sí, señora.

La mujer sonrió, y entonces su tono adusto cambió
por completo, como si aquella sonrisa fuese la válvula de

escape hacia otra dimensión personal. Sus ojos eran brillantes; su cuello, de cisne; sus manos, muy hermosas.

–Bartolomé –invitó a uno de los chicos a tomar la palabra.

El muchacho, de unos dieciocho años, miró a Mari Luz.

–¿Qué te sucede, Bartolomé? –preguntó la doctora Nuria.

–Nada –dijo él.

–Eso no es verdad. Dilo.

El chico suspiró y cambió la dirección de su mirada.

–Se parece a Encarna.

–¿Y eso te supone algún problema?

–No... no creo.

–Si la presencia de Mari Luz te produce una regresión, lo mejor sería que contaras de nuevo tu caso.

–¿Otra vez? –frunció el ceño Bartolomé.

–Aquí todos lo repetís a menudo.

Calibró la alternativa y se resignó.

–Mi novia...

–Mira a Mari Luz, Bartolomé. Cuéntaselo a ella.

El chico obedeció la orden. Daba la impresión de sentirse atrapado.

–Mi novia me dejó por mi mejor amigo –manifestó de forma escueta.

Mari Luz pensó en Juan Manuel y en Vanessa. Temió que su palidez la delatara.

–¿Eso es todo? –insistió la doctora Nuria.

–Llevábamos un año saliendo juntos. Yo antes..., bueno, era bastante cerrado, no destacaba en nada, no me gustaba el fútbol, las chicas me daban miedo... Y cuando apareció Carmen...

–Te entregaste por completo –dijo la mujer que presidía la sesión.

–Sí.

–¿Qué sucedió?

–Yo no me enteré muy bien –reconoció Bartolomé–. Darío tenía novia, rompió con ella, quedó bastante hecho caldo, y entonces a Carmen le dio pena. Luego, sin saber cómo, se enamoró de él, y Darío... Bueno, a los tíos nos cuesta poco caer, todo el mundo lo sabe.

–¿Crees que a todos los «tíos» –la palabra tuvo algo de retintín– os cuesta poco caer?

–Sí.

–¿Habrías caído tú?

Bartolomé apretó las mandíbulas.

–Yo no le habría quitado la novia a mi mejor amigo –fue categórico–. Aunque ella se me hubiese puesto a tiro.

–¿Crees que cometiste errores en tu relación con Carmen?

–Mi único error fue quererla hasta el límite.

–¿Te entregaste en cuerpo y alma?

–Sí.

–¿Vivías por y para ella?

–Sí.

La doctora Nuria se incorporó y recogió un extraño aparato depositado en una mesita, a su espalda. Venía a ser una especie de casco integral con dos antenitas, dos orejeras y una visera de plástico transparente, a medio camino entre un sistema de realidad virtual y una chichonera. Antes de pasárselo a Bartolomé hizo unos ajustes en un módulo operativo. En la pared frontal, de manera que todos los presentes pudieran verla bien, se iluminó una pantalla.

El chico tomó el casco sin disimular su aprensión.

Pero se lo puso, rindiéndose, mientras suspiraba incapaz de ocultar su desasosiego.

Lanzó una última mirada de reojo a Mari Luz.

–¿Listo? –quiso saber la doctora.

–Sí –dijo Bartolomé.

–Muy bien...

Ella presionó un dígito en el sistema operativo y en la pantalla apareció el propio Bartolomé. Iba acompañado por una muchacha más o menos de su edad, cabello largo y muy negro, como los ojos; maquillada con mimo, dotada de una belleza fría y sensual a partes iguales. Llevaba un pequeño diamante, o lo que fuera, entre el labio inferior y la barbilla. Su oreja derecha también estaba repleta de pendientes, en este caso de plata.

–Este es el recuerdo de Bartolomé en el punto que lo dejamos la última vez –dijo la doctora Nuria.

Mari Luz alucinó.

Aquel casco... ¡hurgaba en la mente y ponía los recuerdos en primer plano, a la vista de todos!

Ni más ni menos.

Lo primero que pensó fue que ella no quería ver a Juan Manuel, ni pensar en él allí, a la vista de los demás.

Los «actores» de la pantalla hablaban. Ellos asistían a la escena como si se tratara de una película. A ninguno le parecía extraño, o vergonzante. Cada cual tenía su historia, parecida, tal vez idéntica.

Todos con el corazón roto.

Y hasta ella misma quedó atrapada por lo que sucedió a continuación.

El silencio se apoderó del lugar al volverse blanca la pantalla.

Bartolomé se quitó el casco y parpadeó un par de veces, como si el cambio de luz, o de lo que fuese, le molestara. La doctora Nuria recogió el artilugio y lo dejó en la mesa situada a su espalda antes de sentarse en su silla. Desde ella los abarcó a todos con la mirada.

–¿Alguien quiere empezar?

Nadie habló.

–¿Qué conclusiones sacas tú de lo que has visto y oído, Carlos?

El muchacho, tal vez el mayor de los chicos, miró a Bartolomé.

–Él va a ciento diez, y ella solo a setenta y con el freno de mano puesto –argumentó.

–No me seas ambiguo. ¿Qué quieres decir?

–Pues que ella no se suelta, que toma precauciones, y Bartolomé, en cambio, va a tumba abierta. No solo la ama, sino que además se lo demuestra en exceso. Hay un punto de agobio…

Bartolomé apretó las mandíbulas.

–¿Estás de acuerdo? –se dirigió a él la doctora.

–Yo no creo que sea agobio. Estaba loco por ella.

–Pero lo que para ti puede ser amar sin reservas, con plena entrega, para otros, desde fuera, puede resultar agobiante, como dice Carlos, ¿no crees?

–No se puede amar a medias –comentó el chico.

–Ella lo hacía –señaló Carlos.

–No es verdad –protestó Bartolomé.

–Tú no te dabas cuenta porque lo veías todo de color de rosa –intervino una de las chicas.

–Oigamos tu opinión, Renata –la invitó a intervenir la mujer.

–Amar implica perder la cabeza por la otra persona, y eso hace que olvidemos toda referencia, que renunciemos a puntos de apoyo. Es como dar un salto en el vacío sin saber si llevas paracaídas, si se abrirá en caso de que sea así, y encima, como es de noche, no tienes ni idea de adónde irás a parar.

–Buen símil –reconoció la doctora–. Continúa.

–Yo creo que ella, Carmen –señaló la pantalla como si aún estuviese ahí–, se refugió en el mejor amigo de Bartolomé por dos motivos: primero, porque él estaba herido, era vulnerable, acababa de romper con la novia. A muchas chicas nos gusta hacer de madres, reconozcámoslo. Darío debió de desnudarse en cuerpo y alma, mostrarse a ras de suelo, hecho una piltrafa, y eso a Carmen la sensibilizó al máximo. Quiso recoger toda esa papilla. Pero en segundo lugar, sí es cierto que en la actitud de Bartolomé, mal que le pese, hay un punto de exceso. Tanta mirada lánguida, tanta sensación de posesión, a veces no te dejan espacio para respirar.

–Así que, según tú, Carlos tiene razón al hablar de agobio.

–Sí.

–¿Alguien más cree que Bartolomé cometió errores graves y que ese día fue crucial según lo que hemos visto?

Algunos asintieron con la cabeza. Mari Luz temió que le preguntaran, pero la doctora se abstuvo de ponerla en tal brete.

–Si mi novio me hubiese amado así, no me habría dejado –intervino otra de las chicas–. A mí, que me agobie. Si le quiero…

–Tú misma dijiste el otro día que hay distintos grados de amor, Maite, y que no todo el mundo siente lo mismo en el mismo instante, por mucho que en los primeros momentos el amor sea una explosión y te deje aturdido.

–Puede haber distintos grados de amor –volvió a intervenir Renata–, pero cuando deja de ser un lazo para convertirse en una cadena, te aseguro que es el fin. Crónica de una muerte anunciada.

Bartolomé se agitó en su silla.

–O sea, que es culpa mía –espetó con gravedad.

–No hablamos de culpa –se dirigió a él muy seria la doctora Nuria–. Olvidaos de esa palabra. En el amor, nadie es culpable de que las cosas sucedan, porque es el más imprevisible de los universos. Se requieren dos personas, y eso hace que las variables resulten... De lo que se trata, Bartolomé, es de que cuando algo falla en una relación, aunque el noventa y nueve por ciento proceda de la otra parte, siempre existe ese uno por ciento propio, personal. Y aquí hablamos de ese porcentaje. Lo analizamos, lo diseccionamos. Es bueno saber nuestras limitaciones, pero aún es mejor aprender del pasado para no repetir los errores en el futuro y, sobre todo, para poder vivir sin traumas.

Mari Luz recordó que en alguna parte, tal vez en una novela, había leído algo de eso, de los traumas que solía dejar el primer amor cuando fracasaba.

–Yo creo que las chicas no saben lo que quieren –dijo Bartolomé, herido en lo más íntimo.

–No generalices –protestó una de las que no habían hablado.

–Unas veces dicen que son demasiado jóvenes, que no están preparadas; otras, que si se enrollan es para ir en serio, nada de una aventura y a ver qué pasa; otras... –el muchacho lanzó un fuerte resoplido–. Si les das poco, quieren más. Si les das más, quieren menos. No se aclaran.

–No hables en términos abstractos, Bartolomé –dijo la doctora Nuria mientras las cinco muchachas, todas menos Mari Luz, aún muy quieta, elevaban el tono de su protesta–. Mira a tus compañeras y díselo a ellas.

Repitió su última frase:

–No os aclaráis.

–Ya, ahora resulta que nosotras no nos aclaramos por el simple hecho de actuar un poco a la defensiva, porque como vosotros vais a saco...

–¡Eh, eh, esto no es una disputa de chicos contra chicas, os lo recuerdo! –elevó la voz la mujer.

–¡Pues que no generalice!

La disputa no menguó, por lo menos en los siguientes segundos. La que menos hablaba y la que menos pasión ponía en sus palabras o sus gestos era Alicia.

Por un momento, Mari Luz se la imaginó con su novio en los brazos asistiendo a su último suspiro de vida.

Ella todavía estaba a tiempo de odiar a Juan Manuel.

Alicia solo podía odiar al destino, al otro conductor, a la propia vida.

–¿Edelmira? –se impuso el tono de la doctora Nuria.

–Yo creo que Bartolomé es demasiado buen tío –fue tajante la aludida–. Yo a Carmen la veo más... no sé, ¿perversa? Bueno, no creo que sea la palabra adecuada. Digamos más...

–Sibilina –acudió en su ayuda Raquel.

–Lleva una máscara –dijo uno de los chicos que no había hablado.

–¿Por qué, Alberto?

–Se deja querer, sigue el juego, le va bien así. Esa es su máscara. Es una pequeña diosa y tiene a su acólito. Pero en cuanto encuentra a alguien a quien ayudar, y qué mejor que el amigo de su novio, solitario y súbitamente solo, aparece en ella el melodrama, el sentido tragicómico de la vida. Es la heroína de su propio culebrón: descubre que le va la marcha mucho más que la fidelidad o la estabilidad. Incluso sabe que lo del tal Darío no durará, que es una tabla a la deriva en medio del mar. Y huye por la puerta falsa.

Mari Luz estaba impactada.

La mitad de los chicos y de las chicas volvieron a hablar al mismo tiempo, a favor y en contra. Y lo hicieron con pasión, sin reservas, con una libertad que Mari Luz desconocía porque jamás se había imaginado que algo así pudiera ser posible.

Trece personas con el corazón roto.

Trece entre miles.

Capaces de discutir sobre sus tragedias personales sin cortarse.

En el lugar más extraño de cuantos jamás hubiera soñado.

Esta vez, a la doctora Nuria le costó imponer la calma para continuar con la sesión.

La doctora Nuria la entretuvo un poco antes de salir.

Pero cuando lo hizo, Alicia estaba esperándola en el pasillo.

–Hola –saludó la chica aflorando una amigable sonrisa en su rostro.

–¿Qué tal? –correspondió Mari Luz.

–Eso tú –ella se encogió de hombros–. ¿Cómo lo llevas?

–De momento, aún estoy tomándole el pulso a esto.

–¿Qué te ha parecido la terapia?

–No estoy muy segura. Que todo el mundo se crea con derecho a opinar sobre ti...

–Pero te da una nueva perspectiva de tu relación, ¿no crees? Y a veces más de una.

Quería preguntarle qué diferencia había entre un corazón roto por la muerte del ser amado y un corazón roto por su estupidez, por haberse enamorado de otra persona.

Decidió no hacerlo por un extraño pudor, a pesar de lo que acababa de ver y oír en la sesión de terapia.

Echaron a andar sin rumbo, por el pasillo del pabellón B.

–¿Cuándo me tocará a mí todo eso del casco?

–La doctora te dará un par de días, para que te sitúes y pierdas el último atisbo de vergüenza.

–No creo que pueda hacerlo –bajó la cabeza.

–Oh, lo harás –fue terminante Alicia.

–¿Tú cómo te sentiste?

–Lo he hecho ya varias veces.

–Pero la primera...

–Sí, es la más dura –reconoció–. Por primera vez muestras lo que nadie sabe ni ha visto de ti, y lo haces a un grupo de extraños. Sin embargo, resulta que esos extraños han pasado por lo mismo, en mayor o menor medida, así que una vez has visto cómo ellos se han desnudado en la pantalla, tú acabas aceptando que eres una del grupo. A eso lo llaman integración esencial.

–Se trata de sentimientos privados.

–El amor no es privado –Alicia lo dijo como si acabase de proferir una verdad incuestionable–. Lo creemos, pero no es así. Que las parejas busquen la oscuridad para besarse, la intimidad para susurrarse cosas bonitas, y que, incluso en medio de una multitud, se sientan solos, no significa que lo estén. El amor es lo más público que existe. Te enamoras y todo el mundo lo nota, porque se te pone una cara así –su expresión fue lo más parecido a un carnero degollado–, y te pasas el día suspirando, con la mente en blanco, equivocándote en todo, metiendo la pata en el resto... De pronto es como si llevaras un enorme letrero en la frente: «Estoy enamorada». O sea: «Me he vuelto imbécil» –se echó a reír ella sola–. No, en serio –recuperó la cordura–. Deberían escribirse manuales. Cada cual tendría que relatar su experiencia, hacer un diario, para que todos aprendiéramos de todos.

Mari Luz la observó de reojo. Alicia era especial, diferente. Tal vez porque la causa de su corazón roto fuese tan radical. La pureza de su rostro, aquella blancura tan etérea, le confería un halo de dulce espiritualidad que la menudez de sus labios y la languidez de sus ojos acentuaba hasta límites extremos. Cualquiera podía haberla confundido con una niña. Aun vestida, su delgadez rozaba lo permisible.

–Pienso que de lo que se habla aquí es de algo que ha existido, existe y existirá, sin que nadie pueda hacer nada al respecto, porque forma parte de la vida de cada día.

–¿El primer amor y sus efectos?

–Sí.

–Yo pienso que el problema viene de nosotros mismos, porque nos da por mitificarlo. Es una sensación tan fuerte y desconocida, que aparece de pronto y te pone el cerebro del revés… Nadie te dice que va a llegar un tren de mercancías de cincuenta vagones y que va a arrollarte. Y aun cuando lo ves aparecer, ni te imaginas cómo te atropellará y cómo te quedarás –hizo un gesto con la mano derecha abierta, pasándola a toda velocidad por encima de la izquierda–. ¡Zas! ¿Y qué ocurre entonces? Pues que ya no puedes cambiar, dar un paso atrás. El amor te arrastra. Estás perdida. Se acabó poder pensar, razonar… ¡Deseamos tanto que salga bien, que no se fastidie! ¡Y la sola idea de que fracase da tanto miedo!

–Una tía mía se casó a los dieciocho, y a los treinta ya estaba separada –reconoció Mari Luz–. Dice que fue un error.

–Yo creo que el primer amor solo tiene tres salidas: que funcione, que no funcione y se estropee, o, como en el caso de tu tía, que funcione momentáneamente y luego fracase por eso que dicen de que lo que no vives de joven acabas queriéndolo vivir de mayor.

–Así que de tres opciones, dos salen mal.

–Será que soy pesimista.

–Tú no eres pesimista –dijo Mari Luz.

–Antes no lo era, desde luego. Pero al quedarme sola… ¿Y qué más da? –se encogió de hombros–. Sea como sea, cada año miles de chicas menores de dieciocho años se enamorarán, se les pondrá el cerebro del revés y se arriesgarán porque no les quedará más remedio que arriesgarse, porque así es el amor: rápido, impredecible, fulminante…

–Para algunas, el primer amor también llega a los diecinueve, o a los veinte.

–Ya, pero reconoce que es más propio de la adolescencia.

–Odio esa palabra.

–¡Yo también! –le brillaron los ojos a Alicia–. ¡Es la palabra más tonta que existe para definir algo tan importante en la vida de las personas! –la repitió con fingido asco–: A-do-les-cen-cia. No sé dónde leí que suena a caramelo de menta para un niño.

Se habían detenido sin darse cuenta en el rellano de la escalera. Un tramo descendía hasta los jardines y otro ascendía hasta el tercer piso del pabellón. Mari Luz vaciló esperando que Alicia tomara la iniciativa, pero lo que hizo su compañera fue preguntarle:

–¿Qué tienes ahora?

–No lo sé.

–¡Hija, pues pregúntalo! No es bueno llegar tarde a las sesiones.

–¿Y yo qué culpa tengo si aquí nadie te informa de nada?

–¿Y para qué están los tablones de anuncios? –Alicia señaló un tablón de corcho situado en el rellano de la escalera–. Hay uno en cada cruce. No tienes excusa.

La agarró de la mano y tiró de ella. En la parte de la izquierda vio un listado de nombres bastante amplio. El suyo, por orden alfabético, se encontraba casi al final, en la letra S.

–Santos Forcadell, Mari Luz, ¿ves? –se lo indicó Alicia–. Tienes psicología con Tadeo, aula siete del pabellón C.

–¿Tú también?

–No, yo tengo tráfico, para ayudarme a superar mi fobia a los coches, la circulación y todo eso –se lo mostró en el listado.

–Vaya –lamentó perderla.

–Te lo pasarás bien. Tadeo es genial.

–Ah, ¿sí? ¿Por qué?

–Ya lo verás –Alicia le guiñó un ojo.

Después la dejó allí, inesperadamente, y echó a correr por el pasillo mientras el eco le devolvía un largo «¡Hasta luego!».

Creyó que iba a encontrarse con otro grupo de «pacientes» pero no fue así.

El despacho del profesor Tadeo estaba vacío.

Bueno, aparte de él, por supuesto.

Era un tipo peculiar, por decirlo de alguna forma. Completamente calvo, cabeza triangular, con una barba de chivo que aumentaba esa sensación, ojos inquisidores, cuerpo enteco, enormes zapatones negros y manos exquisitamente cuidadas, dedos largos, casi se diría que afilados.

Por lo demás, la estancia se completaba con una mesa, un par de archivadores, un ordenador, una butaca y, a su lado, el clásico sofá que utilizan los psiquiatras para que los que van a su consulta se tiendan encima.

–Hola –fue lo único que se le ocurrió decir a ella.

–Mari Luz, supongo.

–Sí.

–Muy bien. Yo soy el profesor Tadeo, como imagino que ya sabrás. Puedes tenderte en el sofá.

Mari Luz no se movió.

–Vamos, vamos, no tenemos todo el día –la apremió el hombre, ocupando su butaca con un bloc en las manos.

–Es que eso de tumbarme ahí…

–¿Qué pasa?

–¿Por qué he de hacerlo?

–Lo dicen las normas.

–Es que esto es muy peliculero.

Al profesor le brillaron los ojos con un punto de sorna. Su mirada se hizo más perspicaz.

–Te equivocas, amiga mía –lo dijo con un deje alegre en la voz–. Es el arte el que imita a la vida, no al revés. Así que… hazlo.

–Vale –no quería discutir.

De alguna forma se daba cuenta de que hubiera sido inútil.

Su mente, su cuerpo, todo su ser, sentía que le gritaba: «Sigue, sigue, déjate llevar, sigue, no luches, no te resistas, sigue».

Seguir, en una especie de hospital absurdo, en el que no existía el tiempo, con la mente del revés, únicamente porque se daba cuenta de que no sentía dolor y podía pensar en Juan Manuel sin venirse abajo.

Sorprendente.

–¿Por qué me ha mirado de esa forma cuando he entrado?

De nuevo, el profesor le lanzó una mirada mitad divertida, mitad sorprendida.

–¿De qué forma te he mirado, si puede saberse?

–Muy penetrante.

–A veces, la primera impresión es la que cuenta.

–¿Y qué ha visto?

–Amiga mía –era la segunda vez que empleaba ese término coloquial, afectivo–, aquí la que acude a la consulta eres tú. Así que haz el favor de callarte y responder a mis preguntas, ¿de acuerdo?

Mari Luz se encogió de hombros.

–¿De acuerdo? –insistió el hombre.

–De acuerdo –se rindió ella.

–Entonces, veamos... –estudió lo que parecía ser su expediente–. Sí, corazón roto... Veintitrés pedazos... –le lanzó otra ojeada rápida–. Un buen *shock,* sí señor.

–Si tan mal estoy, ¿por qué nadie me ha dado una pastilla o lo que sea?

–No estás enferma. Solo tienes el corazón roto, y eso se arregla con calma, paz, tranquilidad, un poco de reflexión y una buena dosis de análisis –le disparó la primera pregunta sin más–: Háblame de tus padres.

–¿Qué pintan mis padres en esto? –volvió la cabeza para verle mejor.

–Jovencita, ¿quieres hacer el favor de callarte y contestar a lo que te pido? –soltó un resoplido feroz–. ¡Será posible!

–Es que mis padres son normales –Mari Luz se cruzó de brazos y hundió su mirada en un punto indeterminado de la pared que estaba frente a ella–. ¿Qué quiere que le diga? Se quieren, llevan casi veinte años juntos, nunca se pelean, son muy cariñosos...

–¿Cómo es tu trato con ellos?

–Mi padre me exige bastante en los estudios, porque sabe que puede hacerlo, y mi madre siempre ha sido mi cómplice en todo. Hay muy buen rollo, aunque claro, a veces...

–¿A veces qué?

–Se supone que soy una a-do-les-cen-te, ¿no? –empleó el viejo retintín–. Según lo que me ponga, dicen que enseño mucho, y según cómo vaya, dicen que parezco... Pero eso son cosas normales.

–¿Así que a veces hay morros?

–No, solo diferencias. No soy de esas locas que se enfadan por nada y se sienten víctimas de todo.

–¿Tienes hermanos?

–Sí. Dos chicos, de doce y siete años: Gaspar y Fernando.

–¿Qué tal con ellos?

–Son dos críos, y como todos los críos, son insoportables. Pero son mis hermanos y los quiero. A veces los tiraría por la ventana y a veces los abrazaría muy fuerte y me los comería a besos. Bueno, sobre todo antes, cuando eran más pequeños.

–¿Lo has hecho alguna vez?

–¿Qué, comérmelos a besos? No, claro, no se dejan. No les gusta. Se hacen los mayores.

–¿Tus padres se besan delante de ti?

Meditó la respuesta.

–Ya le he dicho que son cariñosos. Sí, suelen hacerlo. A mí me gusta que lo hagan, que se les vea felices. Eso da mucha seguridad.

El profesor Tadeo le dirigió una mirada nuevamente intencionada.

–¿Crees en el complejo de Edipo?

–¿Eso de que las niñas quieren a sus padres y los niños a sus madres?

–Sí.

–Bueno, yo no estoy enamorada de mi padre, pero, desde luego, es un tío genial. Lo quiero mucho. Siempre digo que el único hombre en el que se puede confiar es tu padre.

–¿Querías tener novio? –le soltó de pronto.

–¿Yo? No.

–¿Seguro?

–Sí.

–Pero caíste.

–Eso parece.

–¿Lo tienen tus amigas?

–Todas –soltó un bufido–. Y antes de tenerlo ya se pasaban el día hablando de ello, de lo genial que era, de lo que hacían… Eran insoportables. Yo nunca he hablado de Juan Manuel. Son cosas privadas.

–Así que tus amigas te ponían los dientes largos.

–No me ponían los dientes largos. Solo alardeaban de sus novios.

–Y tú te sentías mal por no tenerlo. Tal vez inferior, desplazada, sola.

–No, me daba igual.

–¿Seguro?

–Me alegraba de que fueran o parecieran tan felices, eso es todo. No soy egoísta. Sabía que tarde o temprano me llegaría la hora.

–Por lo tanto, lo esperabas.

–No lo sé.

–Piénsalo.

–No creo que lo esperase –su voz ahora era plácida, surgía de lo más profundo de sí misma–, pero a veces imaginaba cómo podía ser, qué sentiría al conocerlo, al enamorarme, al besarnos… Miraba a la gente por la calle y comprendía que debía de estar en alguna parte, y que a lo mejor me acababa de cruzar con él sin reconocerlo, a la espera de que el destino nos pusiera frente a frente. Bueno –parpadeó al darse cuenta de lo que acababa de decir, abriendo sus sentimientos ante un desconocido–, supongo que todas las personas sueñan y tienen fantasías, ¿no? El amor asusta, pero tarde o temprano nos damos de bruces con él, así que es lógico pensar en ello y hacerte preguntas.

–¿Cómo le conociste?

–Me enamoré de Juan Manuel a los trece años.

–¿Y él de ti?

–Ni me miraba. Yo era un palillo. Nos llevamos dos años.

–¿Así que estuviste enamorada de él durante dos o tres años?

–Tres años y medio.

–¿Cómo se acercó a ti?

–Una tarde me invitó a salir, hace seis meses.

–¿Sin más?

–Una de mis amigas le dijo algo.

–¿Qué exactamente?

–Que me gustaba.

–O sea, que vino a ti sabiendo que lo tenía fácil.

–¡Oiga! –se puso roja como un tomate.

El profesor Tadeo no le dio la menor opción a que se rebelara o se pusiera de nuevo a la defensiva.

Más bien le soltó una andanada de preguntas aplastándola con ellas:

–¿Cuándo te dio el primer beso? ¿En qué momento, en la primera cita? ¿Le dejaste? ¿Qué hiciste? ¿Y lo de cogerte de la mano, fue antes o después? ¿Cuándo te dijo que te quería?

El jardín tenía visos de edén.

No solo por su exuberancia, las flores, los árboles, los estanques, sino también por aquel silencio infinito que proporcionaba la sensación de estar en un paraíso.

Sin olvidar a las personas.

Se cruzaba con ellas y de alguna forma se reconocía a sí misma, tanto en las chicas como en los chicos. Incluso en los de mayor edad. Se quedó como obnubilada al ver a un hombre de unos treinta años que leía un libro de poesía sentado en un banco. No recordaba haber contemplado jamás un rostro más sereno y plácido, más agradable y pletórico de ensoñaciones. Tuvo deseos de sentarse a su lado y hablarle, de escuchar lo que tuviera que decirle. No lo hizo para no molestarle en su recogimiento. Luego, más adelante, se arrepintió. Si estaba allí, era por algo. Tal vez para vaciar su alma, tal vez para compartir, tal vez para reconocerse a sí misma.

Por su cabeza resonaban algunas de las frases de las dos sesiones de la mañana, la de terapia de grupo y la del profesor Tadeo.

¿Y si, pese al amor, la entrega, la dulzura de todos aquellos sentimientos a los que ya no podía renunciar, hubiese cometido demasiados errores?

La vulnerabilidad es eso.

¿Y si había amado sin reservas... a quien no lo merecía?

Pero entonces, ¿qué debía hacerse en la vida, ir siempre con miedo, con recelo, temer la puñalada por la espalda, dar golpes antes de recibirlos? Eso no era vivir, ni aspirar a la felicidad; era resquemor, duda, amargura.

Recordó a sus amigas. El profesor había puesto el dedo en la llaga. Ella siempre fue la más pequeña de su clase, aunque solo se tratara de unos meses. Todas alardeaban de esto y aquello, todas suspiraban por el amor, y no solo eso, cambiaban de chicos como de ropa. Catalina había llegado un día a una fiesta locamente enamorada de Blas, y cinco horas después había salido de ella prendada de Rogelio, preguntándose encima cómo había estado tan ciega al fijarse en Blas. Y todas alardeaban también de saber mucho, de «habérselo montado» con tal y cual.

¿Y si era mentira?

Se apoyó en un árbol y, por alguna extraña razón, recordó a Lucas.

El bueno de Lucas.

Estaba enamorado de ella, y ella pasó. Eso fue a los quince. Lucas era un buen chico, parecido a ella: solitario, listo, observador, tímido… Ahora llevaba casi un año saliendo con Gloria, ambos felices.

¿Y si le había roto el corazón a Lucas sin saberlo?

No, no, imposible; no pasó nada.

¿O sí?

Lucas se le declaró, y ella le dijo que no sentía lo mismo. Así que pudo haberle roto el corazón.

¿Cómo saber quiénes habían estado allí, en la residencia?

Levantó la cabeza y miró a su alrededor.

¿Se estaba volviendo loca?

«Esto no es real y lo sabes –se dijo–. Lo veo, lo siento, me duele si me pellizco, pero es absurdo, una maldita locura que de alguna forma parece de verdad».

Se estremeció.

Locura o no, había asistido a una terapia de grupo, en la que había visto cómo se diseccionaban los problemas de los demás, y se había tendido en el sofá de un psiquiatra al que acababa de contarle cosas muy íntimas, cosas que estaban en lo más profundo de su ser.

Volvió a estremecerse.

¿Y si... estaba muerta?

¿Y si la muerte era precisamente aquello, un limbo extraño, un viaje en el que repasar cuentas con uno mismo? De lo que dijera dependía una eternidad feliz o no. Creer en el cielo y el infierno le sonaba a cuento de hadas. Pero si tenía un alma, una energía, y existía una antesala... ¿de qué?

¿Antesala de ese paraíso, de esa eternidad?

Se estremeció por tercera vez.

Estaba en coma. Seguro. Había sufrido un infarto y lo que le pasaba era que seguía viva pero postrada en un hospital, aunque imaginando que vivía en aquel tiempo momentáneo, detenido entre dos segundos. Quizá había intentado suicidarse y no lo recordaba.

No, nunca se suicidaría, no creía en ello. Pero lo de estar en coma... tenía sentido.

Tal vez Juan Manuel estaba ahora allí, junto a su cama, pidiéndole perdón.

–Anda, corta el rollo, no seas imbécil –se dijo a sí misma, de nuevo en voz alta.

La vida no era una película.

Juan Manuel estaría ya con Vanessa, y punto.

Y ella...

Miró a su alrededor sin saber qué hacer y continuó paseando. Llegó a uno de los muchos estanques diseminados por el jardín y casi se sorprendió al no ver peces en él. Los demás, hasta el más pequeño, rebosaban de peces de colores, sobre todo rojos, como la sangre. Allí, en cambio, lo que había eran nenúfares.

Vio dos letreros de madera claveteados en un árbol. En uno aparecía un nombre y se avisaba de la profundidad del estanque: «Lago de los Nombres Perdidos» y «Profundidad, 100 metros. Cuidado». En el otro leyó una breve explicación tan curiosa como sorprendente: «Escribe el nombre de la persona que te rompió el corazón y dáselo al estanque. Libérate».

Junto al letrero había un pequeño bloc de hojas, aunque no de papel, sino vegetales, y también un pequeño punzón.

Alargó la mano, tomó una de las hojas, el punzón con la otra, y escribió sin pensárselo dos veces: «Juan Manuel».

Luego se acercó al agua y depositó la hoja en su superficie.

No estaba segura de lo que iba a pasar. Pensaba que quizá la hoja flotaría y flotaría sin más. Pero allí no se veía ninguna. Solo los nenúfares.

Su hoja se apartó de la orilla, igual que si una misteriosa corriente la arrastrara. Lo hizo despacio, siguiendo un invisible camino. Mari Luz frunció el ceño al darse cuenta de algo más: los nenúfares también se movían, se abrían formando un círculo. Cuando la hoja quedó atrapada en él, se apretaron un poco más, y un poco más.

Pensó que iban a devorarla.

O a atacarla.

No sucedió nada de eso. De pronto, la hoja se llenó de agua. Se inundó. Los cortes hechos con el punzón se abrieron y el líquido cubrió el nombre.

Hasta que, finalmente, se hundió.

Mari Luz no sintió nada.

Sin embargo, fue como si una mano invisible le arrebatara el recuerdo de Juan Manuel cobijado en su mente.

Porque quiso pensar en él y no halló ni una sola imagen guardada en la memoria.

No quería matar sus recuerdos. No deseaba olvidar. Solo entender, aprender. Hizo un esfuerzo, asustada, y metió una mano en el agua.

Entonces Juan Manuel volvió a ella.

No tuvo tiempo de reaccionar en uno u otro sentido, ni de entender qué le estaba sucediendo. Retiró la mano del agua y se incorporó al escuchar una voz familiar a su lado.

–Hola, Mari Luz.

Volvió la cabeza y se encontró con la abierta sonrisa de Jacinto.

Temió que le preguntara si había escrito el nombre de su novio.

Y ella, a su vez, no se atrevió a preguntarle por qué la hoja había sido engullida por las aguas del estanque y por qué, de pronto, le costaba recordar a Juan Manuel.

No quería hablar de nada de eso con el enfermero.

–Hola –se ruborizó un poco.

–Tienes buen aspecto.

–Gracias.

–¿Qué tal tus primeras sesiones?

–No sabría qué decirte –fue sincera–. La de terapia… Bueno, me ha sorprendido. Ese aparato mediante el cual aparecen tus recuerdos…

–Sí, suele impresionar un poco.

–Tú no serás un holograma, ¿verdad?

–¿Un qué? –Jacinto se echó a reír–. No, te aseguro que no, ¿ves? –le atrapó una mano y se la puso en el brazo–. Carne y hueso. Puedes presionar, vamos.

No lo hizo. Le bastó con tocarle. Sintió su fuerza, el músculo, la recia dureza de un brazo joven y lleno de vigor.

Retiró la mano.

–Todavía luchas contra lo que ves y lo que sientes –dijo él.

–¿Qué quieres que haga, que lo acepte sin más?

–Sí.

–¿Hablas en serio?

–Tu corazón no late, y estás viva. ¿No significa esto algo para ti?

–¿Dónde estamos?

–No puedo decírtelo.

–¿Y tú? Dijiste que ayer habías librado. ¿Dónde vives?

–Eso no tiene importancia. No son más que detalles superfluos. Lo único importante eres tú. Si supieras el dolor que destila un corazón roto, tu única prioridad sería hacer lo posible para que se te recompusiera cuanto antes. Todos nosotros estamos aquí para ayudaros: médicos, profesores, enfermeras…

–Una ONG de voluntarios y cooperantes dispuestos a curar las heridas del amor.

–Pues… es una definición bastante acertada. Ya te dije que yo era voluntario. Y también que no podía contarte nada porque iba contra las normas.

Mari Luz echó a andar, para alejarse del Lago de los Nombres Perdidos. Jacinto se colocó a su lado, como si aceptara su tácita propuesta de paseo. Se internaron por un sendero que serpenteaba bajo los árboles, cuyas copas eran tan densas que tapaban el sol. La temperatura era ideal, ni frío ni calor. La sensación de estar en un paraíso se acentuó cuando vio un par de ardillas en un árbol, mariposas revoloteando por todas partes, diversos frutos colgando de algunas de las ramas… Sin duda, jamás había estado en un lugar más hermoso que aquel.

Un lugar ideal… para el amor.

Y precisamente los que estaban allí era porque lo habían perdido.

Miró al enfermero de reojo. Aquellos labios tan gruesos, el tono almendrado de los ojos, la fuerza que le confería la nariz, la reciedumbre de su mandíbula, la mata de pelo informal que coronaba su cabeza...

Todas sus amigas habrían enloquecido por él.

Pero, para sí misma, lo más importante era que a su lado se sentía muy a gusto, protegida y segura, relajada.

La dulzura de su voz, de su mirada...

Se sintió ridícula y volvió a centrar su atención en la senda que seguían. Dijera lo que dijera, Jacinto no podía ser real. Era absurdo. El mayor de los imposibles. Por lo tanto, era como formar parte de una fantasía, hablarle a un fantasma. Si aquello sucedía en su mente, Jacinto no era más que un sueño. Por eso resultaba tan atractivo. No iba a crear un personaje feo; al contrario: su subconsciente le regalaba algo parecido a un ideal masculino.

Genial. ¿Qué le diría al respecto el profesor Tadeo?

—No puedo tomarme esto en serio —dijo en voz alta, más para sí misma que para él.

—Pues debes hacerlo.

—Siempre he sido racional y pragmática.

—Cada persona es muchas personas a la vez. Somos la persona que creemos ser, la persona que creemos que ven los demás, la persona real, y la persona que los demás piensan que somos. Te sorprendería saber lo diferentes que son todas.

—¿Cómo me ves tú?

—No te conozco. Hemos hablado solo un par de veces. Sin embargo, no me pareces racional y pragmática, te lo aseguro.

—¿Entonces cómo me ves?

—Frágil, emocional, intensa, abierta, expectante, llena de vida.

A veces creía serlo. Todo eso y más.

Le sorprendió que él lo hubiera intuido tan rápido.

–Así que soy transparente.

–No, lo que pasa es que yo soy muy bueno –sonrió lleno de encanto–. ¿En qué estabas pensando hace un minuto, mientras caminábamos?

–En nada –se puso roja.

–No soy tu médico.

–No es eso, es que no pensaba en nada, en serio.

–Siempre tenemos algo en la cabeza.

–¿Qué pensabas tú?

–Que siempre he deseado pasear por un bosque como este con una chica como tú.

Se puso aún más roja.

Pero él se lo había dicho con la mayor de las naturalidades.

Y de pronto comprendió que eran un hombre y una mujer hablando y paseando, conociéndose, descubriéndose; no dos críos jugando al amor.

–¿Puedo hacerte una pregunta personal?

–Está bien –concedió ella.

–A ese chico… ¿le querías?

–Se llama Juan Manuel, y la respuesta es sí.

–¿Le querías o le necesitabas?

–¿No es lo mismo?

–Sabes que no.

–Una persona se enamora porque lo necesita, y necesita el amor para saciar el vacío con el que solemos vivir.

–Estoy de acuerdo –dijo Jacinto–. Pero están los que se enamoran de alguien y están los que se enamoran del amor, y eso es muy distinto. Para unos, la persona amada es el ideal, el complemento. En cambio, para los que se enamoran del amor, lo esencial es ese sentimiento, llenarse de él. Son los que colocarían al otro en un pedestal, extasia-dos. Aman el amor más que a quien se lo da o de quien lo reciben.

–¿Por qué todo el mundo sabe tanto del amor? –ma-nifestó Mari Luz con un deje de fastidio.

–Porque es de lo único que vale la pena saber. El res-to gira en torno a ello.

–Ya, y nos pasamos la vida buscando respuestas, ha-ciéndonos preguntas, intentando saber, o mejor dicho, com-prender una verdad que no existe, porque cada cual tiene la suya.

–¿Ves cómo eres rápida e intuitiva? –Jacinto asintió con la cabeza–. Me encantaría verte por el ojo de la cerra-dura con el profesor Tadeo.

–¿Qué tengo por la tarde, después de comer?

–Hoy, nada más. Pasear, descansar. Tampoco es cues-tión de agobiar al personal.

–Me alegro –suspiró.

–Cuanto antes tengas el corazón bien, antes volverás.

No quiso preguntarle adónde, ni cómo, ni qué senti-ría, ni si… La idea de tener la tarde libre la seducía. Solo eso. Poder pensar, leer, caminar, hablar con alguien…

Como él.

–Mari Luz, ¿qué te hizo más daño?

–No te entiendo –le chocó la pregunta.

–¿Perderlo, quedarte sola, ver que habías dado todo a cambio de nada?

–Fue muy rápido –bajó los ojos al suelo y se sintió súbitamente cansada–. Después de anunciarme que era el fin, eché a andar, sin rumbo, con la cabeza del revés, y en-tonces me sucedió…

Se llevó una mano al pecho.

–Perdona, no quería…

–No importa, en serio. Aquí no me cuesta hablar de ello. Oye, ¿y tú? –decidió que ya estaba bien de responder preguntas–. ¿Has estado enamorado?

–Con mayúscula, no –concedió Jacinto.

–¿Y con minúscula?

–Eso sí, un montón de veces –se echó a reír–, como cualquiera: de una vecina, de una chica del barrio, de dos o tres actrices de cine, de una presentadora de la televisión... Entre los cuatro o cinco años y los catorce fue un no parar.

–¿Y luego?

–Luego pasé a lo más habitual antes de la madurez: a los amores platónicos.

–Los peores.

–Sí, porque son falsos, no tienen futuro. Y si uno, por casualidad, se convierte en real, o desmontamos el mito o echamos a correr, y en ambos casos lo perdemos.

–Yo preferiría que un amor platónico se convirtiera en real. Si tuviera la oportunidad, no echaría a correr. Al menos tendría esa posibilidad, me quitaría la venda de los ojos, sería capaz de sentir.

–Mi amor platónico fue una profesora. Bueno, y seguía colgado de dos o tres estrellas de cine. Eso no cambia.

–El mío fue un amigo de mi padre, diez años mayor que yo.

–Yo nunca le dije nada a ella.

–Ni yo a él.

–Pero dices que si hubieras podido...

–¿Atreverme? Pues sí. Era soltero. Otra cosa me paralizaría.

–Las normas.

–O el respeto propio.

Sin saber cómo, habían dado un rodeo por el bosque y volvían a estar en los jardines, al otro lado del Lago de los Nombres Perdidos. Fue como salir de un escondite y quedar expuestos a los ojos del mundo. Jacinto se detuvo en la linde.

–Tengo trabajo –suspiró–. He de irme.

–Ya.

Su tono era triste. Él lo captó.

–Seguiremos hablando, ¿vale?

–Sí –aceptó ella.

–Te buscaré –le guiñó un ojo.

Mari Luz lo vio marcharse en dirección a los edificios de la residencia.

Esperó confiada a que él volviera la cabeza, pero no lo hizo.

De nuevo la sobresaltó una voz, a su espalda.

–Es guapo, ¿eh?

Se encontró con Alicia. Llevaba un libro en las manos. No le sorprendió que se tratara de *Love story,* una de las novelas, luego llevada al cine, que más furor había hecho en las últimas décadas del siglo XX.

La que moría en ella era la chica, y él quien se quedaba solo y roto.

–No me había fijado –mintió Mari Luz.

–Ya.

–Bueno, no es más que un enfermero.

Pensó: «Y no existe, lo mismo que tú. Sois parte de esta inquietante fantasía».

–Te diré algo: lo que nos ha sucedido nos ha traído aquí. Pero lo que sucede aquí creo que es muy importante para lo que nos encontremos al regresar.

–Eso es absurdo.

–¿Más absurdo que ser tratadas en un hospital para personas con el corazón roto?

Mari Luz miró el lago. Continuaba asustándola.

–Vayamos a sentarnos –propuso.

–¿Has puesto su nombre en una hoja?

–Sí.

–Yo no lo hice –reconoció Alicia–. No quiero olvidarlo, quiero recordarlo siempre.

–Yo tampoco quiero olvidarlo. Necesito tenerlo presente para no repetir los mismos errores.

–Ven –Alicia la tomó de la mano–. Te llevaré a mi rincón favorito.

Caminaron apenas cincuenta metros. En un cruce de sendas se formaba una glorieta con cuatro bancos, uno a cada lado. Ocuparon el más cercano, solas. No tenía ni idea de lo que faltaba para la hora de comer. Y lo curioso era que no sentía hambre, pero en cuanto sonaba el aviso... el apetito aparecía por sí solo.

–Ahora cuéntame, venga –la apremió Alicia.

–De momento ha sido un día extraño.

–No me refería al día, sino a Jacinto.

–¿Jacinto? –intentó que su voz sonara sincera–. Me ha preguntado cómo me encontraba y todo eso, nada más.

–Es la primera vez que veo pasear a Jacinto con una paciente, así que no me vengas con esas –se lo reprochó su compañera.

–¿De verdad?

–De verdad.

–Pues... –hizo un gesto ambiguo, sin saber qué decir–. No ha pasado nada, en serio. Hemos hablado de generalidades.

–A mí me parece demasiado perfecto. El chico ideal.

–¿Te gusta? –estaba decidida a apartarse del camino de su amiga.

Suponiendo que tuviera que apartarse.

–No es mi tipo –la chica dobló los labios hacia abajo–. A mí me gustan más... toscos, rudimentarios. No sé, más normales. Jacinto, en cambio, estudia, es educado, habla bien. Hacéis muy buena pareja.

–¡Anda ya!

–Pues bueno.

–Acabo de llegar aquí, se supone que con el corazón destrozado, ¿y me estás buscando un ligue?

–Un ligue no. Jacinto no es el tipo de chico para un ligue.

–Lo que sea.

–Yo solo te digo que te dejes llevar, que no fuerces nada ni en un sentido ni en otro.

–Te aseguro que es lo que trato de hacer –afirmó rotunda–. Aunque te diré algo: puede que el tiempo no pase, pero yo lo siento aquí –se llevó una mano a la frente–. No me gusta vivir sin vivir, no sé si me explico.

–Yo, en cambio, estoy en la gloria –Alicia se desperezó estirando los dos brazos hacia arriba–. No lloro, no me duele el alma como me dolía antes, no tengo miedo...

–¿No será que todo esto es en realidad una huida, una forma de escapar de la realidad?

–No sería lo mismo –consideró Alicia tras pensarlo un par de segundos.

–Así que tú piensas que esto es real.

–Si fueras mi ilusión, yo también sería la tuya, y esto no tiene sentido.

–Lo tiene si interactuamos, si formáramos parte de... no sé, un programa de esos de ordenador.

–Acabarás pensando que eres un juego o algo así, o peor aún: un virus.

–También hay otra cosa que me choca.

–¿Qué es?

–Aquí, todos estamos frustrados por amor, pero tu novio murió en un accidente. No entiendo la relación.

–¿Acaso para ti tu ex no ha muerto?

–Es distinto.

–No lo es. Será un recuerdo de lo que pudo ser y no fue en ambos casos. La única diferencia es que tú podrás ver a tu ex con otra y eso te escocerá. Por eso la mayoría de parejas que se rompen, e incluso de matrimonios, se refugian en el odio.

–Dios mío –suspiró Mari Luz–. Aquí nos pasamos el día hablando de lo mismo: del amor, el desamor, sus consecuencias...

–¿De qué quieres hablar, del tiempo?

–No lo sé. Pero bastante paliza nos dan con todo ese rollo del primer amor como para que encima...

–Es que el primer amor es una de las primeras sacudidas con las que nos topamos.

–Y que lo digas. Más que un mito o una realidad, es un peso enorme.

–Es increíble, ¿verdad? –Alicia dulcificó su expresión de niña–. La de cosas que nos pasan en muy poco tiempo, y sin que nadie nos avise. Tienes ocho o nueve años y eres feliz, nada te preocupa, aunque el mundo o tu propio hogar esté lleno de problemas. De pronto, un día te miras al espejo y notas que te están creciendo los pechos, al día siguiente te viene el periodo, después te fijas en el primer chico y, como él pasa de ti, te sientes fatal, llegan las frustraciones, el pensar que estás gorda o muy delgada, que te sobra de aquí o te falta de allá, que todas las demás son más guapas o tienen más suerte o... Encima, te crees que todo te pasa a ti sola y a nadie más, y eso te pone de un mal humor... Sientes rabia, una rabia profunda y angustiosa. Un día te levantas de la cama y te pones a llorar sin motivo alguno, y encima piensas: «¿Seré idiota? ¿Por qué estoy llorando?». Pero no puedes parar, es imposible. Después llega el enfrentamiento con los padres por la ropa, porque piensan que estás loca, porque no hablas, y hay discusiones y pides que te dejen en paz... –Alicia miró a Mari Luz llena de convicción–. Y todo esto te sucede en dos o tres años, de golpe. Nadie te dice: «Cuidado, que viene la vida». Nadie te avisa, te dejan sola, y tú te das el mamporro con todas las de la ley, con las inseguridades, con el primer amor o con lo que sea. Pero te lo das.

Había sido una lección vital. Mari Luz le dirigió una mirada de admiración. Una lección simple pero auténtica.

–Yo creo que lo peor es la vulnerabilidad de los sentimientos –dijo–. El amor te desnuda, te deja la sensibilidad a flor de piel. A los catorce, quince, dieciséis años, es una sacudida. No puedes pensar, ni respirar, ni hacer otra cosa más que sentir esa ansiedad que te devora.

–Por eso es tan duro el rechazo. Como ir a doscientos por hora y tratar de frenar en seco.

Que Alicia hablara de coches y velocidad se le antojó estremecedor. Su amiga también se había quedado muda.

–Tranquila –le puso una mano sobre las suyas.

La chica continuó en silencio.

Dos o tres segundos más.

–Cuando te conté lo de nuestro accidente no te dije una cosa –suspiró envuelta en una súbita tristeza.

Mari Luz contuvo la respiración.

–Mi novio y yo estábamos riendo, jugando, acariciándonos mientras esperábamos en aquel *stop* –la voz de

Alicia era átona–. No vimos el coche que venía por detrás a toda velocidad. Estábamos parados y creímos... A veces pienso que de haber estado más pendientes, tal vez nos habríamos podido apartar, o controlar el volante, o... no sé, ¿entiendes? No sé.

Mari Luz continuó acariciando las manos de Alicia, hasta que ella lanzó un profundo suspiro y recuperó su eterna y valiente sonrisa de inocencia.

El aviso de la comida sonó en ese instante.

Lo del hambre era otro misterio.

Sin tiempo, era extraño imaginar un consumo de energías, una necesidad de ingerir alimentos. ¿Qué regía los hábitos metabólicos? Y, desde luego, no pensaba en la comida hasta que sonaba el aviso y se dirigían a los salones habilitados para ello.

¿La comida también era una ilusión?

Porque estaba muy buena.

–Es genial –le dijo Alicia–. Comes lo que te da la gana y no engordas.

Eso sí era verdad.

Así que comió lo que le dio la gana y más.

Al terminar, Alicia la dejó sola. Ella sí tenía una actividad. Su caso, al parecer, era distinto, y requería de terapias supletorias. Guardar un recuerdo doloroso sin renunciar a la vida se convertía en algo difícil que no entraba en los parámetros de la mayoría, cuyo corazón estaba roto por un despecho.

Mari Luz se preguntó qué era mejor.

El sentimiento del amor eterno, barrido por la muerte, o el del amor fallido, convertido en una burla.

Quería regresar al jardín, y caminar por él, y tal vez volverse a encontrar con Jacinto, porque se sentía bien a su lado, hablando, paseando. Era confortante. Si Alicia se estaba convirtiendo en su gran amiga y confidente, el muchacho también empezaba a apoderarse de su paz, aunque...

La eterna pregunta.

¿Era posible la amistad entre un chico y una chica?

La amistad pura, sin más, mantenida por los dos con equidistancia de los sentimientos.

Ella estaba herida, era vulnerable.

No llegó al jardín. Inmersa en sus pensamientos, se tropezó literalmente con el doctor Facundo Serrano. Su humanidad le bloqueó la puerta y tuvo que levantar la cabeza para ver su rojiza cabeza. El pelo semejaba una corona de fuego que le daba un aspecto impresionante.

—Hola, Mari Luz —le sonrió con cariño.

—Buenas tardes, doctor.

—¿Qué tal el día, la terapia, la sesión con el profesor Tadeo?

—Bien, una primera toma de contacto, supongo.

—¿Todavía te haces preguntas acerca de todo esto?

—Sí, pero me da igual. Simplemente estoy aquí, y no quiero luchar contra lo que no entiendo.

—Ese es el espíritu —repuso él—. Tú confía y déjate llevar. Antes de que te des cuenta, tu corazón volverá a funcionar. Déjame que te eche un vistazo rápido.

Se acercó a ella, le alzó el párpado izquierdo y le alumbró la pupila con una linternita que extrajo de uno de los bolsillos. El examen fue rápido. Luego le tomó la mano e hizo lo habitual: comprobar su pulso. Mari Luz seguía creyendo que sin corazón no existía pulso, por más que le dijeran que entonces era la cabeza la que regía el movimiento y el perfecto funcionamiento del cuerpo. Sin embargo, ya no dijo nada. Sabía que era inútil.

O se estaba convirtiendo en una pasota o realmente se había integrado en el sistema.

–Sé lo que estás pensando –le advirtió el médico.

–¿Es brujo o qué?

–No, pero tengo experiencia. De todas formas, por aquí han pasado chicos y chicas, hombres y mujeres, mucho más reticentes y díscolos, muy negativos y faltos de colaboración.

–¿Y qué estaba pensando?

–Te has adaptado rápido y eso es bueno –el doctor Serrano dejó de tomarle el pulso–. Ni eres una pasota ni te has integrado en el sistema.

Mari Luz abrió la boca.

–Oiga, no me gusta que hurguen en mi mente –se asustó.

–No estoy hurgando en tu mente, pero ya te he dicho que sé lo que pensabas, eso es todo. Lo adivino por tu cara, tu expresión, tu mirada y el ritmo de tu cuerpo. Antes te preguntabas si esto en realidad no era una huida, una forma de escapar de los problemas.

–Aquí hay cámaras, ¿verdad? –miró a su alrededor–. Y sensores para escuchar las conversaciones y…

–No hay nada de eso, tranquila. Y te aseguro que esto no es una huida, al contrario: te estás enfrentando a tus problemas, y lo harás todavía más en los próximos días. Convéncete.

–Es como cuando en el colegio te decían aquello de los dogmas de fe.

–Pues sí. Esto es lo que es, y punto. Has de creer en ello. Y sabes que es un regalo. Vas a volver a la vida. ¿Qué más puedes desear?

–¿Entenderlo?

–No todo se entiende en el momento en que sucede. A veces, las cosas se hacen transparentes mucho después. Confía en nosotros, pero sobre todo confía en ti. A fin de cuentas, tú nos llamaste.

–Yo no sabía…

–Cuando un corazón se rompe, emite tanto dolor que nosotros lo captamos. Es una llamada desesperada de socorro. Tú nos llamaste a gritos, Mari Luz. No te encontramos sin más. Y tu ánimo hará que te recuperes muy pronto.

Le acarició la mejilla, paternal.

Y eso la hizo relajarse aún más.

–Gracias, doctor Serrano.

–Recuerda que estoy a tu disposición las veinticuatro horas del día. Para lo que sea, una consulta, una urgencia, una pregunta…

–Lo tendré en cuenta.

–Que pases una buena tarde –inició la retirada, pero se detuvo después de dar el primer paso–. Ah, por cierto, tenemos la mejor biblioteca de novelas de amor que existe. Lee algo. Siempre ayuda. Solo leyendo nos hacemos uno con el universo y logramos salir de nosotros mismos para pasar a formar parte de la historia en la que nos hemos sumergido.

–Lo sé. Me gusta leer.

–Eso también es muy importante para ser mejor persona –dijo Facundo Serrano–. Tenemos que ser esponjas, absorberlo todo, saciarnos. Solo si estamos llenos podremos compartir, dar, entregarnos, y, por lo tanto, ser capaces de recibir. No lo olvides.

–No lo olvidaré.

El hombre sonrió, asintió con la cabeza y reinició la marcha.

La luz de la tarde arrancaba destellos dorados al jardín, el bosque, los montes.

La tarde resultó apacible.

Pero el anochecer era todavía más hermoso.

Romántico, de no ser porque estaba en un hospital y, además, sola.

No habló con nadie. No vio a Alicia, ni tampoco a Jacinto. Se cruzó con alguno de los chicos y chicas de la terapia de la mañana, pero no conectó con ninguno. Cada cual buscaba su propia soledad y, a veces, de manera egoísta, sin ánimo de compartirla. Paseó, se perdió por uno de los bosques, se tumbó bajo un árbol, meditó, luego regresó a la residencia, preguntó por la biblioteca y, ciertamente, se asombró de la cantidad de libros que había en ella. Miles. Todas las historias de amor escritas y publicadas a través de los tiempos. Historias tristes y alegres, grandes dramas y divertidos romances, apasionadas tragedias y distendidas comedias. También había poemas.

Fue precisamente lo que se llevó.

Un libro de un autor desconocido del que casi se aprendió de memoria uno o dos poemas, de nuevo en el jardín, sentada en uno de los bancos, mientras el sol declinaba y conducía el día a su término.

Un día que no contaba.

Un día que no existía puesto que el tiempo allí no transcurría.

Leyó uno de los poemas en voz alta:

Antes de dormir, déjame que entre en ti.
Antes de despertar, déjame que entre en ti.

Antes de morir, déjame vivir en ti.
Déjame, déjame, déjame que lo intente hasta el fin.
Déjame ser tu amante esta noche.

Déjame ser tu amante esta noche.
Déjame ser tuyo el resto de tus vidas.
Me alimento de ternuras y esos besos
que se rompen y nos lavan las heridas,
como imágenes de amor en los espejos.

Déjame ser tu amante esta noche.
Y dormir en el silencio de esos gritos.
Dejar en tus quebradas estas huellas,
para amarte con mis dedos ya marchitos
y soñarte mientras tocas las estrellas.

Déjame ser tu amante esta noche.
Como fuimos en mil vidas ya pasadas.
Geografía del amor que vivo y canto,
en tu cuerpo mil pasiones no gastadas,
al hurtarle a la muerte tanto espanto.

Se le antojó lo más bello que jamás había leído. O tal vez fuera el lugar, el momento, su condición de mujer con el corazón roto. No supo ni siquiera por qué aquel profundo suspiro le arrancaba tanta ternura, cuando se suponía que el amor había huido de ella burlándose de aquello en lo que creía. Y al sentir el escozor en los ojos se extrañó de esas lágrimas, aunque estaban detenidas en ellos, frenadas por alguna razón que no lograba entender. No eran lágrimas quebradas, surgidas de un ánimo bajo mínimos. Muy al contrario: eran lágrimas de esperanza.

Sabía que volvería a renacer, a vivir, a querer.

A ser querida.

Y eso, justamente eso, cuando se le rompió el corazón, era lo que no sentía, lo que estaba segura de haber perdido para siempre.

Toda esperanza.

Cenó temprano, sin dejar de leer y releer el libro de poemas, y apenas si habló un minuto con Alicia. Sus ojos se cruzaron cinco segundos con los de Jacinto. Nada más. Luego se acostó. Antes de cerrar los ojos volvió a leer su poema favorito, pero quiso terminar la jornada con uno con el que deseaba sentirse más y más identificada. Un poema que hablaba del renacimiento.

Su voz fue un murmullo al susurrarlo en voz apenas queda:

Soy un ser escondido
en mi sombra, quieta espera.
Atravesado por vacíos
silenciosos, noche entera.
Soy un ser de paciencias
infinitas, corazón de plata
desbordado de ternuras
vivas, que el tiempo mata.

Soy un ser plantado
en una maceta, que mira,
volando sin alas
muy alto, por lo que aspira.
Soy un ser que camina
de espaldas, el payaso.
Buscando horizontes nuevos
y soñando, por si acaso.

Soy un ser cargado
de emociones, sin gastar.
Viviré mil años y después
caeré, volviendo a empezar.
Soy un ser de esperanzas
eternas, mientras exista.
No dejaré que me alcancen
nunca, será mi conquista.

El libro resbaló de sus manos, se venció hacia abajo hasta quedar apoyado en su regazo. No tuvo ni siquiera tiempo de apagar la luz. Los ojos atravesaron la última consciencia.

Ya no hubo más.

Tercera parte:
Corriente alterna

La enfermera Anastasia la despertó a gritos.

–¡Nuevo día! ¡En pie! ¡Vamos, vamos! ¡Un, dos, tres!

Mari Luz abrió los ojos de golpe. Le costó ejercer el oportuno control sobre sus músculos o su cerebro. Existía una sustancial diferencia de medio segundo más o menos entre su mente y su cuerpo. El sueño todavía aleteaba en su memoria, pero delante de sus ojos abiertos de par en par la veía a ella, subiendo la persiana, moviéndose de lado a lado, propulsando la vida como si el mundo fuese a terminarse de un momento a otro.

–¿Qué? –la mujer se le plantó al pie de la cama, con los brazos cruzados–. ¿Nos ponemos en marcha?

–Me ha dado un susto de muerte –protestó.

–¡Huy, sí, ya lo veo! –forzó una sonrisa malévola de oreja a oreja–. Ojalá todos los muertos tuvieran tu aspecto.

–¿Qué hora es? –preguntó sin darse cuenta.

–¿Hora? –Anastasia le lanzó una mirada socarrona–. ¡Hora de levantarse, andando!

–¡Ya voy! ¡Ya voy!

La enfermera inició la retirada en dirección a la puerta. Mari Luz se dio cuenta de algo. Se había dormido con el libro en las manos y la luz encendida, pero ahora el libro estaba en la mesita y la luz apagada.

–Gracias por arroparme anoche –le dijo a modo de cumplido.

Anastasia se detuvo.

–Yo no tenía guardia anoche.

–¿Entonces, quién…?

–Jacinto.

Y la dejó sola.

Mari Luz abrió los ojos.

Jacinto había estado allí, en su habitación, viéndola dormir, contemplándola, tal vez un segundo, tal vez un minuto, tal vez… ¿cuánto tiempo? Y le había tomado el libro de las manos, fijándose en el tema, quizá leyendo el último poema.

Después le había bajado la parte de arriba de la cama, tan suavemente que ella ni se dio cuenta; la arropó, le apagó la luz…

Los ojos se le dilataron todavía más.

De pronto recordaba que había soñado algo.

Jacinto, su voz, la sensación infinita de una caricia…

¿Era posible?

Intentó no pensar en ello. Apartarlo de su mente. Saltó de la cama, no fuera a regresar la enfermera y volviera a soltarle una arenga, y se metió en el cuarto de baño. La ducha fue rápida, sin mojarse el pelo, que protegió con un gorrito; también se lavó los dientes. Acababa de vestirse, a la espera del desayuno, cuando entró el doctor Serrano.

–Buenos días, Mari Luz.

–Ah, buenos días.

El médico debía de tener prisa en su ronda matinal. Llevaba una especie de escáner portátil bajo el brazo.

–Siéntate, por favor, y desabróchate la parte de arriba de la ropa.

Le obedeció. Lo hizo en la misma cama. Facundo Serrano depositó el aparato a su lado y, permaneciendo de pie, le fijó un cable con una ventosa en la parte izquierda del pecho, por encima del seno, y le colocó otro sensor en la cabeza, justo en el parietal del mismo lado. Con la mano libre efectuó unas mediciones rápidas.

–Vaya –mencionó con cierto aire de admiración–. Una progresión sustancial.

–¿Para qué sirve esto? –preguntó ella.

–Es un medidor numérico –dijo él–. De ayer a hoy ya solo tienes el corazón roto por diecinueve partes.

–¿En serio?

–Míralo tú misma –le mostró una pantallita en la que se veía el número junto a otros datos incomprensibles.

–¿Eso quiere decir que ya se me han soldado cuatro pedazos?

–Soldado, unido, recompuesto… Llámalo como quieras. Pero así es. Y te aseguro que lo que hemos hecho nosotros es más bien poco, de momento. Si la cosa funciona, y funciona bien, es gracias a ti –le quitó la ventosa del pecho y le retiró el sensor de la cabeza–. ¡Ánimo, querida! ¡Tienes carácter, además de fuerza!

–¿Significa esto que me pondré bien en muy poco tiempo?

–Nunca se sabe –el doctor Serrano se guardó el escáner bajo el brazo, dispuesto a seguir con su ronda–. A veces la progresión inicial es muy buena, pero luego… He visto chicos y chicas que se han recuperado muy rápido, casi hasta el final, y de pronto los dos últimos pedazos se les han resistido y les han llevado más tiempo unirse que todos los demás. Esto es impredecible. Pero por lo menos las vibraciones en tu caso son buenas. Tú tranquila, ¿vale? No te agobies y tómatelo con calma.

–De acuerdo.

El médico le lanzó una última sonrisa y se marchó de la habitación. Mari Luz apenas si tuvo tiempo de asomarse a la ventana para encontrarse con otro día maravilloso, sin nubes, con una temperatura primaveral que parecía eterna. La enfermera Anastasia irrumpió de nuevo con todo su enérgico dinamismo sosteniendo en las manos la bandeja con el desayuno.

–¡A los ricos cereales con leche, fruta, naranjada natural, pan tostado, mantequilla y deliciosas esencias para untar! –anunció en plan pregonero.

Llevaban ya varias visualizaciones y discusiones cuando la doctora Nuria le pasó el casco.

–Vamos allá, Mari Luz –le dijo.

Se quedó mirando el curioso artefacto. No sabía si estaba preparada, pero no podía negarse. Todos los demás acataban las órdenes y no discutían, aunque a alguno o alguna le pesara. Alicia le hizo una seña de ánimo.

Mari Luz ya no se resistió.

Se lo encasquetó en la cabeza mientras la doctora manipulaba el módulo operativo que lo regulaba. De entrada sintió un cosquilleo, algo así como si una mano invisible le acariciara la cabeza o, al menos, partes determinadas de su interior. De la caricia pasó a un hormigueo.

–Es tu primera vez. Por lo tanto, has de sintonizar tus pensamientos con el casco –la orientó la mujer.

–¿Qué he de hacer?

–Piensa en él.

Pensar en él. Así de sencillo. Así de difícil.

Evocó la imagen de Juan Manuel.

Lo primero que vio fue esa misma imagen proyectada en la visera de plástico que le cubría los ojos. Debía de ser la misma que aparecía en la pantalla, porque pudo escuchar con nitidez algunos comentarios de sus compañeros, especialmente de las chicas.

–Es mono.

–Sí, pero chulito.

–Esa forma de mirar…

Le dolió que hablaran de esa manera. Aún no lo conocían, ni le habían oído abrir la boca, y ya le criticaban. Si les bastaba con la imagen, significaba que, de entrada, ella tenía un pésimo gusto. Atacándole, la atacaban a ella.

–Concéntrate en algo intrascendente –escuchó la voz de la doctora Nuria a través de los auriculares adosados a sus orejas.

Una salida. Solían ir al cine los sábados por la tarde.

Se vio a sí misma con Juan Manuel en la cola del cine. De pronto venían a ser dos actores interpretando una escena que ya conocía. Una escena de su vida más reciente, en apariencia de lo más vulgar y normal.

–¿Qué quieres ver? –preguntaba Juan Manuel.

–Me da lo mismo.

–Y a mí también, en serio.

Mari Luz estudiaba los carteles del multicine.

–La comedia parece estar bien.

–¿Y la de policías?

–Será de esas con tropecientos mil tiros, persecuciones de coches y muchos saltos de cámara.

–Pero los actores son buenos.

–Pues si quieres ver esa, vamos a ver esa.

–Que no, que no, que era por discutirlo. Si tú prefieres la comedia, vamos a ver la comedia. Casi siempre aciertas.

–¿Yo? Pero si siempre escoges tú.

–No es cierto. Pensaba que iríamos a ver la de polis y ya ves, te he dejado escoger a ti.

–¡Pero si a mí me da igual!

–Si te diera igual, no escogerías la comedia.

–¡Pues vayamos a ver la de policías!

–Que no, anda. Si lo único que quiero es pasar un rato haciendo manitas, mujer –le guiñaba el ojo.

–Entonces vayamos a ver la de policías, así no me importará no estar pendiente de la pantalla –lo abrazaba ella, rendida.

–¿De veras?

–Que sí.

–Luego no me digas que yo...

–No seas bobo.

–Vale, vale.

Ya estaban en la taquilla, y Juan Manuel pedía las dos entradas.

La imagen desapareció entonces, no porque Mari Luz hubiera dejado de pensar en ella, sino porque la doctora Nuria cerró el sistema operativo.

Se quitó el casco.

–¡Qué borde! –fue lo primero que escuchó.

No tuvo tiempo de decirle nada a Raquel, porque rápidamente la secundó Maite.

–Sí, el viejo truco.

–Parece que nos dejan escoger a nosotras, pero al final siempre acabamos viendo lo que ellos quieren –agregó Edelmira.

–Si os da igual –Alberto defendió la postura de los chicos.

–Vosotras pasáis del tema –lo apoyó Pol.

–No es verdad, pero como os ponéis bordes a la mínima...

–¡Eh, eh! –la doctora Nuria cortó el pronto de Renata y también el primer atisbo de pelea dialéctica de los demás–. Recordad que esto no es un pugilato entre sexos. ¿Mari Luz?

La aludida no supo qué hacer o decir.

–¿Sí?

–¿Qué opinas de esta escena?

–A mí me daba igual.

–No te pregunto esto. ¿Crees que actuaste bien?

–Si es que yo... –abrió las manos en señal de impotencia.

–¿Te gustó esa película?

–No.

–¿Era de persecuciones, disparos...?

–Sí.

–¿Se lo dijiste a él al salir?

–No.

–¿Si hubierais ido a ver la comedia y a él no le hubiese gustado, te lo habría dicho?

–Sí –reconoció.

–¿Alguien tiene una opinión formada al respecto? –miró al resto.

–Él la anula –fue categórica Raquel.

–Ella se deja anular –precisó Ricardo.

–Piensa en otra escena, Mari Luz.

La doctora Nuria conectó de nuevo el sistema mientras lo decía.

Seguían en el cine.

–Algo más… íntimo –propuso la mujer.

Cambió la imagen. Era de noche, se estaban despidiendo. Juan Manuel se inclinaba sobre ella y la besaba, con fuerza.

Mientras lo veía, Mari Luz sentía un cosquilleo, pero no de la misma manera que si la escena fuese real. Ni siquiera le dolía el recuerdo. Ella era una espectadora de su propia película.

Y todo parecía muy lejano.

Remoto.

Al separarse, él la cubría con una mirada de deseo, sin dejar de abrazarla. Sus labios temblaban.

–¿Te ha gustado?

–Sí.

–A veces te comería a besos.

Y se la comía a besos. Era como si un paroxismo frenético se hubiera apoderado de Juan Manuel. Mari Luz se dejaba querer, se rendía, intentaba corresponderle, pero él iba muy por delante de ella. Sus besos eran furiosos, precipitados.

La imagen volvió a desaparecer. Se quitó el casco.

–¿Te gustaban esos besos? –preguntó la doctora Nuria.

–Claro –dijo extrañada.

–¿Has visto tu cara, Mari Luz?

–Sí.

–¿No hubieras preferido otra clase de besos?

–Bueno…

Todos la miraban, ellas con gravedad y ellos con curiosidad.

–¿Cómo te gusta besar a ti? –preguntó la mujer.

–De forma suave, no tan rápida, ni precipitada. Bueno, quiero decir que me gusta estar mucho rato con los labios unidos, sin moverme, como si el tiempo no pasara –suspiró ella.

–¿Y él lo hacía así?

Se puso roja.

–¿Que si lo hacía así?

–Sí, Mari Luz. ¿Te besaba él como a ti te gusta?

Miró de nuevo a los demás. Todos estaban pendientes de sus palabras. No tuvo más remedio que rendirse.

–No –tuvo que admitir.

–¿Por qué no se lo decías?

–No sé.

–Sí sabes.

–Le digo que no. Yo... –se movió inquieta en su silla.

–¿No crees que mostrabas inseguridad ante él?

–No.

–¿No crees que te parecía fantástico que se hubiera fijado en ti y te hubiera hecho caso, y que tenías miedo de perderle, y que eso te hacía sentirte inferior?

–¡No!

–¿Entonces, cómo calificarías lo que hemos visto?

–¡Yo quería aprender! –casi gritó Mari Luz–. ¡Deseaba ser perfecta para él, hacerle feliz, y que supiera que conmigo también lo sería!

–¿Renunciando a todo, sin pedir nada a cambio, ni siquiera respeto? –dijo muy seria la doctora Nuria.

No supo qué contestar.

Quería echar a correr.

–Ponte otra vez el casco, Mari Luz –le pidió la mujer.

El profesor Tadeo parecía seguir un imaginario zigzag.

Saltaba de un tema a otro, del pasado al presente, de lo cotidiano a lo íntimo, exigiéndole máxima concentración. Y encima, ella se sentía tan cómoda en el sofá que a veces le costaba seguirle. Había quedado agotada después de la sesión de terapia.

Como si le hubiesen vaciado la cabeza.

—¿Qué sentiste al nacer tus hermanos?

—Alegría.

—¿Por qué?

—No me gustaba estar sola. Pensaba que así tendría a alguien con quien jugar. Yo tenía cinco años cuando llegó Gaspar.

—¿Jugaste con él?

—No, nunca.

—¿Eso te frustró?

—Era una cría. No recuerdo.

—Y al nacer Fernando... vuelta a empezar.

—Sí, claro.

—¿Querías una hermana?

—Me habría gustado.

—¿Te hacían cuidar de tus hermanos?

—A veces, por ser la mayor.

—¿Te gustaba?

—No.

—¿Cuándo dejaste de ver a tu padre como un héroe?

—¿Cómo dice?

—A los cinco años creemos que nuestro padre lo puede todo, a los doce nos damos cuenta de que no es así, a los dieciséis pensamos que es idiota, a los veinticinco comprendemos que no es más que una persona como cualquier otra y empezamos a redimirnos, y a los cuarenta... nos decimos: «Ojalá mi padre estuviera aquí para aconsejarme». Es la escala gráfica más simple de las relaciones con el padre.

—¿Y quién escribió semejante cosa?

—Un gran poeta.

—Yo nunca vi a mi padre como un héroe.

–¿Cuando conocías a un chico lo comparabas con él?

–Sí.

–¿Lo preferías radicalmente opuesto o parecido?

–Parecido.

–¿Por qué?

–Porque me fiaba de mi padre. Es honesto, legal, muy equilibrado.

–¿Y tu madre?

–Diferente: más nerviosa, temperamental.

–¿Te pareces a ella?

–No.

–¿Y a él?

–Sí, un poco. ¿Y adónde quiere ir a parar con estas preguntas? –siguió molesta.

–Son preguntas que completan un gráfico, cálmate. No significan nada, pero ayudan a precisar tu estado emocional, y lo que es más importante, tu relación con los chicos.

–Solo he tenido una relación.

–Física, sí. Emocional, no.

–Todas imaginamos cosas.

–Creo que tú querías tener novio, Mari Luz. Necesitabas amar y ser amada.

–Como todas –insistió.

–No –el hombre fue categórico–. En la adolescencia, esto tiene un componente más profundo. A veces va de la desesperación a la ansiedad, del trauma edípico al juego vital que presupone el descubrimiento del sexo.

No supo qué decir, así que escogió una divagación.

–Ni que fuera Freud.

–Freud estaba a años luz de las actuales tendencias, jovencita.

–Bueno, pues yo no estaba loca para enrollarme con nadie a toda prisa, ¿vale?

–¿Por qué te fijaste en ese chico, Juan Manuel?

–¡Y yo qué sé! Pasó y ya está.

–Sí lo sabes.

–¡Le vi, me gustó…!

–¿Qué sucedió esos días?

–¡Por Dios, ni lo recuerdo, era una cría! ¡Ya le dije que tardó años en hacerme caso!

El profesor Tadeo guardó la libreta en la que hacía sus anotaciones. Se quedó tal cual, en su butaca, pero su voz tenía un leve tono de acritud cuando dijo:

–De acuerdo, vete. Hemos terminado por hoy.

–¿Ya?

–Sí.

–¡Pero si apenas llevamos un rato!

–No quieres colaborar. Por lo tanto, no vamos a perder el tiempo, ni tú ni mucho menos yo.

–¡Sí quiero colaborar! ¡Quiero volver a sentir los latidos de mi corazón y marcharme de aquí!

–Entonces…

–¡Es que no recuerdo nada especial!

–Pues vete, haz memoria, y a ver si mañana avanzamos un poco más.

–¿Sabe que es usted odioso? –se puso en pie de un salto.

Y el profesor Tadeo le respondió, envuelto en una meliflua sonrisa:

–Sí, ¿verdad?

Alicia captó el conato de rabia que la poseía.

–Tadeo ha estado duro contigo, ¿eh?

–Sí, ¿cómo lo sabes?

–Porque todos y todas hemos pasado por eso, especialmente al comienzo.

–Ha sido muy desagradable.

–No, solo intenta que nos enfrentemos con nuestros fantasmas.

–¿Hiriéndonos?

–Nos herimos nosotros mismos –reflexionó la muchacha–. Lo único que trata de hacer él es sacarlo a flote cuanto antes, para que no se enquiste. Aquí no corre el tiempo, no hay prisa, pero tampoco es bueno que se tarde mucho en volver a la normalidad.

–¿Y qué me dices de ti? En las sesiones de terapia ni siquiera hablas, no participas, y a la doctora Nuria no parece importarle, no te presiona.

–Puede que mi caso sea diferente, o yo más difícil de recomponer.

Mari Luz la miró fijamente.

–Me dijiste que al día siguiente del entierro de Marcelino... viste un inmenso agujero negro bajo tus pies, y sentiste un gran vacío en tu mente. No querías enfrentarte a nada y te hundiste.

–Sí.

–¿Tu grado de rotura es máximo?

–Sí.

–¿Pensaste en... la muerte?

Alicia desvió la mirada.

Tardó tres segundos en responder, pero pareció una eternidad.

–Sí –repitió por tercera vez.

Mari Luz tuvo un estremecimiento. La muerte nunca era una aliada, sino la derrota. La palabra «suicidio» era sin duda la más espantosa de todas las imaginables. Equivalía a renunciar, a perderlo todo, a sumirse en la cobardía quitando cualquier oportunidad a la esperanza, sin tener en cuenta que la vida siempre da más alternativas y, al menos para eso, es larga.

Casi se sorprendió al sobrevolar su ánimo esos pensamientos.

Tan firmes.

—Es curioso, yo también pensé, por un momento, que me quería morir —repuso—. Fue algo fugaz, intangible, y cuando sentí el dolor en mi pecho…

—Te rebelaste.

—Algo así.

—En el último instante comprendiste que morir era una estupidez.

—¿Te sucedió lo mismo?

—Sí —reconoció Alicia.

—Yo no quería suicidarme, solo morir.

—Yo me habría suicidado.

Fue contundente, directa, y sonó igual que un trueno en la calma de la tarde. Un enorme trueno que las engulló y las hermanó más allá de lo que su amistad pudiera ya haberlo hecho. Sin darse cuenta, se abrazaron una a la otra, con fuerza.

—Nada merece la muerte —susurró Mari Luz—. Ni el amor.

—Lo sé —aceptó Alicia—. El amor es vida, y, por lo tanto, vivir te conduce al amor.

—Lo que pasa es que nos aferramos al sueño del amor eterno, único y verdadero.

Se separaron y se quedaron mirándose a los ojos. Entonces Alicia se echó a reír.

—Con la de chicos que hay —bromeó.

—Y lo fantásticas que somos —convino Mari Luz.

—¿A por ellos?

—A por ellos.

Sus risas rompieron el silencio de los jardines. Echaron a andar de nuevo, ocultas por su secreta conspiración. Se cruzaron con algunos chicos y chicas que las miraron sintiéndose partícipes de su alegría, y después continuaron con sus paseos, sus lecturas o sus charlas. Ellas dos no cesaron en su catarsis hasta mucho después.

Estaban cerca del Lago de los Nombres Perdidos, un lugar que, sin saber a ciencia cierta por qué, a Mari Luz le producía escalofríos. No había vuelto a él, ni quería hacerlo. Escogió el camino opuesto y Alicia se dejó conducir sin sospechar nada.

–Se está tan bien aquí… –suspiró Mari Luz.

–Dan ganas de no regresar.

Reflexionó en torno a lo que acababa de decirle Alicia. No regresar. ¿No era esa otra forma de cobardía, incluso otra clase de suicidio? Allí solo estaban parcialmente vivas, por mucha paz y mucha calma que tuviesen, y por mucha ausencia de dolor que experimentasen.

Existir era sentir.

Sentirlo todo.

–¿Sabes jugar al ajedrez? –le propuso Alicia.

–Sí.

–¿Te apetece?

No llegó a darle una respuesta.

En ese instante, no lejos de allí, detrás de un recodo del camino, escucharon unos gritos.

Sucedía algo, y no precisamente dramático.

No solo corrieron ellas en esa dirección. Lo hicieron todos los que se encontraban cerca, e incluso otros que estaban situados en puntos más alejados. Mari Luz y Alicia fueron de las primeras en llegar. Tres muchachos y dos muchachas ya atendían a una compañera, que era la que gritaba, sentada en el suelo. Sus ojos alucinaban mientras les miraba con las cejas en alto. Su rostro resplandecía, y temblaba igual que una hoja batida por un inesperado viento.

–¡Mi corazón! –repetía una y otra vez–. ¡Mi corazón! ¡Lo siento! ¡Vuelve a latir! ¡Mi corazón!

Alicia se llevó una mano a los labios.

–¡Oh, Dios! –suspiró.

La pregunta que iba a formular Mari Luz murió en los suyos. No solo llegaban otros pacientes; también lo hacían un par de enfermeros y enfermeras.

La escena fue muy rápida.

–Apartaos, vamos, dejadla respirar –ensanchó el círculo la primera que atendió a la chica.

–¿Doctor Serrano? ¿Doctor Serrano? –habló por un pequeño transmisor uno de los enfermeros.

Ella seguía asustada, emocionada, feliz...

–¡Mi corazón! ¡Está latiendo! ¡Latiendo!

–Tranquila –dijo la enfermera.

–Felicidades –apuntó otra–. Pero ahora déjanos a nosotras, ¿vale?

–¿Puedes ponerte en pie?

–Sí.

–Venga, vamos.

La ayudaron. El que intentaba hablar con Facundo Serrano consiguió su objetivo. La voz del médico surgió del pequeño aparato. El enfermero le informó de la situación.

–Es Carmen Fernández, señor.

–No perdáis tiempo. Traedla.

Se la llevaron, casi en volandas. Los que estaban allí se quedaron quietos, sin apenas moverse, hasta que Carmen y su cohorte de enfermeros y enfermeras desapareció de su vista. Entonces volvieron de su catarsis personal. Se advirtieron los primeros comentarios, suspiros, sonrisas o...

–Ya está, va a volver –dijo Alicia.

Mari Luz ni siquiera preguntó cómo.

Un despertar.

Y de nuevo enfrentarse a la vida, al... dolor.

Se le antojó extraño. Un par de minutos antes pensaba precisamente en ello, en que allí la ausencia de dolor formaba una coraza protectora bajo la cual se vivía de una forma falsa aunque segura.

Salir era volver a ese dolor.

Como Carmen Fernández.

Como todos, cuando su corazón volviera a latir.

–Ya debe de estar allí –dijo Alicia.

Allí.

En casa.

En el mundo real.

Mari Luz se estremeció.

Llevaba sola un buen rato y su cabeza no dejaba de pensar en la recuperación de aquella chica y en la última charla con el profesor Tadeo.

Había sido testigo de un «regreso».

Pero el efecto de aquella insólita escena no conseguía borrar los sentimientos que la atenazaban y que tenían que ver con sus recuerdos, aquello en lo que trataba de escarbar el profesor y a lo que ella se rebelaba. Era como si, de pronto, su pasado fuera inquietante.

¿Cuántas cosas habría en él que la empujaron a ser como era, a enamorarse de niña de Juan Manuel, a sentir la necesidad del amor, de querer y ser querida? ¿Cuántos misterios ocultos? ¿Cuántas preguntas sin respuesta?

Recordaba a sus padres, a sus hermanos, detalles de su vida pasada, cosas a las que antes no había dado importancia y ahora, por lo visto, se hacían mucho más relevantes de lo que jamás hubiera creído. Detalles, escenas, momentos.

La soledad le había pesado siempre. Hasta que Juan Manuel le hizo caso y compartió con ella...

El profesor Tadeo había puesto el dedo en una de sus muchas llagas. Y también la doctora Nuria.

¿Había pedido el cariño de forma tan desesperada que era como si llevase la luz verde de los taxis encendida en la frente? ¿Se le acercó Juan Manuel porque «lo tenía hecho» con ella? ¿Cayó en la trampa de su propia inocencia? ¿Quería ser como sus amigas, tener novio, sentir más allá y mucho más rápido de lo que la vida le daba?

El vértigo la empujó a su habitación. Lloraba por dentro. Tal vez tuviera una especie de crisis...

Al pasar por delante de la sala de terapia se detuvo. Quería preguntarle algo a la doctora Nuria y pensó que tal vez estuviera dentro, preparando una sesión o estudiando sus expedientes. Abrió la puerta y se encontró con la estancia vacía.

Iba a cerrarla de nuevo y marcharse cuando vio el casco, los sensores, aquel insólito sistema capaz de proyectar en una pantalla imágenes extraídas de su cabeza, como si se tratara de una película viva y recuperable.

Vaciló un segundo.

Luego miró arriba y abajo del pasillo. Estaba sola.

Obedeció a su instinto más primario. Se coló dentro y cerró la puerta con sigilo. No tenía ni idea de qué podían decirle si la sorprendían allí, y encima haciendo lo que se le acababa de ocurrir. ¿Castigarla? No, aquello no era un colegio. Entonces...

No perdió ni un instante. Sabía ya cómo funcionaba el casco, porque se lo había visto manejar a la doctora Nuria. Primero puso en funcionamiento el equipo, después hizo las sintonizaciones, finalmente se colocó el casco y se ajustó las orejeras y la visera. Ella no necesitaba mirar a la pantalla, porque las imágenes se proyectaban en el visor frontal.

Se iluminó.

Intentó pensar en una escena determinada, algo que quisiera recordar, por ejemplo, el día del primer beso, o cuando le dijo que la amaba, o la noche en que las caricias fueron más allá de lo normal y ella le pidió que no corriera tanto...

No lo consiguió, en ninguno de los tres casos.

En el visor se proyectaron escenas del día del cine.

Aquel día en que discutieron acerca de la película que iban a ver y, tal y como se dedujo en la sesión de terapia, al final entraron en la sala que Juan Manuel quería.

–Yo no quiero recordar ese momento –se dijo con rabia.

Buscó la forma de apartarlo, de reconducir las imágenes, pero le fue imposible. La escena seguía siendo la misma: ellos dos en el cine, viendo la película, cogidos de la mano.

–Venga, venga... –se enfadó consigo misma.

No hubo forma.

Se quitó el casco y cerró el circuito. Miró nerviosa a la puerta, esperó un momento y volvió a ponerlo en marcha. Por segunda vez siguió los pasos previos hasta que en el visor surgieron las primeras imágenes.

Juan Manuel y ella en el cine.

Esta vez se lo quitó con rabia.

Contó hasta diez, respiró, cerró los ojos y evocó la escena que deseaba recordar. Escogió el primer beso. Había sido muy importante, el día más feliz de su vida hasta ese momento. Con aquel beso se le habían abierto todas las puertas y esperanzas del futuro. Juan Manuel había estado muy bien, tierno, encantador, y ella, en una nube, flotando, supo lo que era tocar el cielo con las manos.

Necesitaba volver a sentir…

Intentó no perder la concentración. El beso, el momento, la caricia, el éxtasis, la plenitud del abrazo…

Se colocó el casco, hizo los ajustes, puso en marcha el sistema…

De nuevo el cine, ellos dos, cogidos de la mano y atentos a la pantalla.

–¡Mierda!

No hubo cambios. Su enfado no tenía nada que ver con lo que sucedía en el visor. Formaba parte de un mundo que parecía funcionar por sí mismo, como si su voluntad y lo que el equipo extraía de su mente fuesen cosas separadas o siguieran caminos opuestos.

Sin embargo, esta vez no se quitó el casco ni apagó el sistema.

Esperó.

Quería un beso y allí había un beso. No el primero, el más importante, pero sí un beso al fin y al cabo. Se miraban el uno al otro, sonreían, él levantaba la mano libre hasta hacerla llegar a su rostro, su nuca, y luego la atraía hacia sí. Ella cerraba los ojos y se dejaba arrastrar por aquel influjo mágico.

Se besaban de forma larga y generosa.

Miró aquella película conocida, que recordaba muy bien, porque eso había sucedido no mucho antes. Como espectadora, las cosas eran distintas. Intentó cerrar los ojos para sentir el beso y no pudo. Juan Manuel le acariciaba la nuca, su mano era lo único que se movía.

La invisible cámara comenzó a rodearlos, despacio.

Ya no se vio a sí misma de cara, sino al lado.

El cine, la gente de la fila de atrás, ajena a su juego sentimental, y también la rubia sentada a su lado, que los miraba y sonreía, los miraba y sonreía, los miraba y sonreía…

Siguió el recorrido, la nuca de él, luego la visión desde su espalda, con la otra pantalla, la del cine, al fondo, y finalmente el otro lado.

Si hubiera tenido el corazón bien, imaginó que en ese instante habría dejado de latir.

Ella tenía los ojos cerrados, estaba concentrada. Pero ahora que la cámara invisible mostraba a Juan Manuel de cara, vio que él tenía los ojos abiertos, muy abiertos.

Mirando a la rubia.

¡Incluso le guiñó un ojo!

¡La estaba besando a ella y le guiñaba el ojo a la otra chica! Mari Luz no tuvo tiempo de reaccionar. Tampoco habría estado muy segura de qué hacer, si continuar viendo aquello o cerrar el sistema. Pero no se le presentó la coyuntura porque de pronto escuchó una voz airada.

−¿Qué estás haciendo aquí?

Había alguien en la puerta. Un enfermero.

Juan Manuel sonreía.

La imagen se desvaneció al cortar la conexión el mismo que acababa de descubrirla.

Cuando se quitó el casco, se encontró cara a cara con Jacinto.

Eso fue lo peor.

Tenía ganas de gritar, de echar a correr, de escapar de aquella insólita escena y volver a refugiarse en su soledad, y justo quien acababa de descubrirla era alguien que, de alguna forma, le estaba empezando a importar.

Por alguna extraña razón.

–No puedes estar aquí con eso –le reprochó el enfermero.

No estaba enfadado, solo extrañado y también preocupado. Se le notaba.

–Por favor, no se lo digas a nadie.

–De acuerdo, no lo haré, aunque esa máquina registra cada sesión, y no es bueno que te saltes las normas. ¿Quieres tener una regresión?

–¿Y eso qué es?

–Tu corazón puede volver a desunir los pedazos que ya se han soldado.

–Solo quería…

–Verle a él, ¿no es eso?

No tenía sentido engañarle.

–Sí –reconoció.

–De acuerdo. ¿Qué tal?

Se encogió de hombros.

–La máquina te ha mostrado algo que no querías ver, ¿verdad?

–Sí.

–Suele hacerlo. Es un sistema increíble. Reconoce la transgresión y automáticamente modifica los parámetros en que se mueve. Si querías ver algo que a ti te gustaba mucho, hace justo lo contrario.

Tenía muchas preguntas, pero no las hizo. ¿Cómo sabía la máquina la verdad? ¿Y si en el fondo la sabía ella? Al sentarse en el cine, Juan Manuel había mirado a la rubia. Y al salir hasta comentaron algo acerca de si era guapa o simplemente llamativa. Ella le preguntó si las prefería así, y él respondió que no.

Mentía.

Aquel guiño...

–¿Qué sientes ahora?

–No estoy segura.

¿Qué sentía? ¿Furia porque la besaba a ella y le guiñaba el ojo a otra? ¿O más bien alivio porque, por fin, había descubierto al verdadero Juan Manuel?

–Salgamos fuera –le pidió Jacinto.

Abandonaron la sala de terapia y caminaron por el pasillo hasta regresar al jardín. No hablaron en todo ese trayecto,
como si escaparan del cuerpo del delito. La tarde era agradable, una vez más. O vivían en una burbuja sin lluvia ni incle-
mencias atmosféricas, o aquello se asemejaba cada vez más al
paraíso. Una vez en el exterior, Jacinto continuó a su lado.

–¿Qué harías si, al volver, él te pidiera perdón y seguir juntos? –le preguntó inesperadamente.

No tuvo que reflexionarlo. Sobre todo, después de lo
que acababa de ver.

–Ahora ya no lo sé –dijo sinceramente–. Supongo
que le diría que no.

–¿Rencor?

–Madurez.

–Eres lista, y reaccionas bien –ponderó Jacinto–. Sal-
drás de aquí muy rápido.

–Y te aseguro que cuando lo haga, estaré mucho
tiempo sin problemas.

–¿Qué quieres decir?

–No me han quedado ganas de repetir.

–Eso no lo sabes.

–¿Que no lo sé? –sonrió con sarcasmo–. Pues tenlo
muy presente. He aprendido una buena lección.

–Una cosa es aprender de tus experiencias y de tus
errores, y otra muy distinta, pretender cerrarte en banda

desde ahora y levantar muros a tu alrededor. La vida es libertad, y lo que tenga que ser, será.

—¿Crees que voy a tropezar dos veces con la misma piedra?

—En primer lugar, el amor no es una piedra, aunque tropecemos con ella no una, sino veinte veces. Y en segundo lugar, el futbolista al que le rompen una pierna, en cuanto se recupera, vuelve a jugar, sin miedo a que se la rompan de nuevo.

—No es lo mismo.

—Tal vez, pero si desde ahora miras con recelo a todos los chicos y te preguntas si serán buenos o malos, o si te van a engañar o no...

—No es solo eso —hizo un gesto de fastidio con ambas manos y se lo quedó mirando unos segundos sin saber si continuar—. Es que... he visto algo más.

—¿Qué has visto?

—Cómo soy en realidad.

—¿Y cómo eres?

—Pues vulgar, normal, ni guapa ni fea, ni alta ni baja, ni delgada ni gorda. Una más —se rindió a su desconsuelo—. Me he visto en esa pantalla tal como soy.

—No digas eso —Jacinto se detuvo—. Sabes que es una tontería.

—No es una tontería.

—¿Qué quieres, que te regale los oídos diciéndote que eres preciosa? ¿Necesitas que alguien te lo recuerde?

—No hace falta que hagas de médico conmigo, ¿vale? —se sintió curiosamente irritada.

—No hago de médico. Y contigo, mucho menos. Te digo lo que siento.

La palabra la atravesó de parte a parte.

Sentir. Siempre ella.

Miró los ojos de Jacinto. Fue igual que hundirse en cálidas arenas movedizas, porque ya no pudo apartarlos. Primero se sintió atrapada; después, desnuda, como si él fuera capaz de todo con el poder de esa mirada. No recordaba cuándo había sido la última vez en la que el tiempo pareció detenerse en su alma, pero ahora lo hizo. Y esa parálisis la llevó a una dulce libertad.

Aquella era la mirada más sincera que recordaba haber visto jamás.

La mirada de alguien puro.

Quizá porque no era real.

Eso le devolvió la consciencia, la hizo regresar de aquella paz, aunque Jacinto mantuvo el tono, el color, la intención plena y directa de sus ojos transparentes.

—Jacinto, no...

Sus palabras quedaron cortadas. El enfermero la había sorprendido a ella en la sala de terapia. Ahora fue la enfermera Anastasia la que los sorprendió a ellos, de forma casi abrupta, cortando de raíz todo su universo.

—Mari Luz, llevo un buen rato buscándote —les asaltó su voz—. El doctor Serrano te espera en la sala cinco del pabellón C. Andando.

Facundo Serrano comprobó la cifra con las cejas alzadas.

—Diecisiete pedazos —dijo.

—Está bien, ¿no? —vaciló Mari Luz al ver que él no seguía y se quedaba de pie mirándola de hito en hito.

—Lenta, pero segura —reconoció el médico—. Temía que hubieras tenido una regresión.

La misma palabra que acababa de emplear Jacinto.

Se puso roja.

–¿Crees que no sabemos lo que pasa aquí? –el tono del médico no era de enfado, pero sí de reproche–. Cuanto se hace pasa al archivo central, de una forma u otra. Que un sistema entre en fase operativa sin más no es normal, y sobre todo si no es hora de terapia. Tu acción ha quedado registrada de inmediato.

–Lo siento –bajó los ojos.

–Podías haberte hecho mucho daño a ti misma.

–Pero no ha sido así –señaló el diecisiete en el medidor.

–Quién sabe si estabas a menos y por culpa de esa transgresión...

–Ya –continuó con la mirada baja.

–Esto no es un colegio, tranquila –la calmó el doctor–. Pero tratamos de ayudarte, y si no colaboras...

–No volverá a suceder.

Facundo Serrano continuó de pie. Se mordió el labio inferior. Daba la impresión de estar pensando algo.

–Por lo menos, tu actitud demuestra algo importante: que quieres enfrentarte a la verdad cuanto antes –ponderó.

Mari Luz no estaba del todo segura de que pudiera tratarse de eso, pero no se lo dijo a él.

Hubo otra ligera pausa.

–Vamos a adelantar un poco el proceso –acabó diciendo–. Creo que lo soportarás bien. Si tu desliz no te ha causado esa regresión de que hemos hablado, tal vez valga la pena probar.

–¿Qué quiere decir con eso de que lo soportaré bien?

–Eres una chica bastante madura. El revisionario se emplea cuando el índice de rotura está por debajo de quince, más o menos entre los doce y los diez pedazos. Pero, como te digo, fiándome de mi experiencia, pienso que estás preparada para enfrentarte a él.

La palabra «enfrentamiento» no le acabó de gustar.

–¿Qué es el revisionario?

–Lo dice su misma definición: un sistema que te permite ver toda tu vida en perspectiva, los recuerdos, las sensaciones... No es algo exhaustivo, pero sí actúa de manera puntual en todos aquellos recuerdos que te dejaron huella, y también en los que, en apariencia, no la dejaron pero tu psique retuvo y los convirtió en parte esencial de tu evolución. Por eso te digo que no es fácil pasar por el revisionario. Te enfrentas cara a cara con tus miedos tanto como con tus alegrías. Es como navegar por las sombras y las luces de nuestra existencia.

–Mucha gente querría pasar por eso –reconoció ella.

–Y mucha gente pasa por ello –aceptó el médico–, pero justo en el último segundo, cuando ya no hay tiempo para nada.

–¿Así que eso es cierto?

–¿Lo de que vemos desfilar nuestra vida justo al morir? Sí. Es el balance final, el instante de comprobar si nuestra vida ha valido la pena o no, el instante de exhalar el último suspiro felices o rabiando por no haber sabido emplear de otra forma ese tiempo tan precioso que nos ha sido regalado.

Mari Luz estaba impresionada.

Y asustada.

¿Y si realmente iba a morir y todo aquello, la fantasía de la residencia de los corazones rotos, era una antesala de ese segundo final?

–¿Cuándo haremos eso del revisionario?

–Ahora.

–¿Ahora? –enderezó la espalda.

–¿Por qué no? –Facundo Serrano abrió las dos manos–. Acabas de pasar por una experiencia que te ha abierto una pequeña ventana en el caudal de tus recuerdos afectivos. Una vez tomada la decisión, mejor hoy que mañana.

–¿Y dónde…?

–Ven, vamos –le tendió la mano para ayudarla a incorporarse.

Salieron del despacho y caminaron en silencio por el pasillo una docena de metros. No se detuvieron hasta llegar ante una puerta señalizada con el rótulo «R. Facundo Serrano». La abrió con una llave que extrajo del bolsillo de su pantalón y que, a su vez, tenía una cadenita que la aseguraba con el cinturón. Le dio dos vueltas y luego franqueó la entrada. La estancia no era muy grande, más bien todo lo contrario. En el centro y como único mobiliario había una cama. En la parte superior de la misma se alzaba un módulo rectangular con diversos sensores. Tres de las cuatro paredes estaban desnudas y forradas con una materia aislante pintada de blanco. Parecía una cámara insonorizada. La cuarta pared mostraba un ventanal al otro lado del cual quedaban diversos equipos, sistemas, aparatos y demás. Era evidente que el paciente ocupaba la cama, se le conectaban los sensores, y en la cabina de control se hacía el resto.

–¿He de dormirme? –preguntó Mari Luz.

–No, solo tenderte ahí y relajarte. El sistema hace el trabajo por sí mismo. Escanea tu mente hasta el último rincón y lo procesa a velocidad de vértigo. No sentirás nada.

–Pero… ¿veré mi propia vida?

–Sí, serás testigo de ella.

–¿Y luego lo recordaré?

–También. Y es un privilegio, no vayas a pensar lo contrario.

Se sentó en la cama por sí misma. Se descalzó y luego se tendió en ella, acomodándose de la mejor forma posible. Ningún corazón latiendo a toda velocidad por la tensión la traicionó. El doctor Serrano le colocó los sensores en la cabeza, repartidos por el cráneo, y también en los parietales, cerca de los ojos, la frente y detrás de las orejas. Una vez concluida la operación, se inclinó sobre ella.

–¿Lista?

–Sí.

–Apagaré la luz. Es necesaria la intimidad contigo misma.

–De acuerdo.

–Suerte –le sonrió con ternura el hombre.

Salió del lugar y reapareció a los pocos segundos en el cubículo adyacente. Su voz se oía ahora fluyendo de alguna parte, por encima de la cabeza de ella.

–Empezamos.

Se apagó la luz.

Mari Luz cerró los ojos.

Entonces sintió aquel cosquilleo en su interior, en el cerebro, como si un ejército de hormigas hubiera iniciado una marcha dispuesta a conquistarlo por entero.

Y sintió su primer recuerdo, más o menos a los tres años de edad, aquel día que…

Otra noche.

Su habitación.

Y ahora todo era tan diferente.

No solo el mundo, dentro o fuera del hospital, sino también ella misma.

Acababa de revisitar toda su vida, de ver, tanto en perspectiva como de la forma más directa posible, toda su historia, cuanto la había llevado a ser lo que era y cómo era. Un viaje a través del tiempo, explorando su mente, su alma, ese corazón roto del que trataba de recuperarse. De pronto veía claras muchas cosas, muchísimas, pero todavía existían lagunas, riberas inexploradas, interrogantes, rincones a los que no alcanzaba la mano del raciocinio. Los aciertos se mezclaban con los errores, los caminos se cruzaban a veces de manera que al final resultaba difícil entender cómo, partiendo de algo bueno, se llegaba a algo malo, y viceversa. Si la vida era compleja, verla de repente en un rápido aliento aturdía mucho más. Días olvidados se convertían en el eje de decisiones arriesgadas y decisivas tomadas con posterioridad, y días en apariencia significativos derivaban en circunstancias intrascendentes y momentos carentes de relieve.

Había exprimido un enorme limón, y ahora le tocaba beberse el jugo. Lavarse.

Aprender.

Sobre Juan Manuel, tanto las componentes de su amor como las consecuencias de su fracaso estaban muy claras: se había enamorado de quien no debía, dándolo todo a cambio de nada. Su sinceridad frente a la vulgaridad de una persona que no la merecía, que jamás había sabido apreciarla o valorarla como persona y como mujer. Viendo desde fuera qué había hecho y cómo lo había hecho, lo tenía muy claro. Gestos, palabras, momentos... Ni siquiera hacía falta descubrir instantes como el del cine, en el que guiñaba un ojo a otra mientras la besaba a ella. Toda su relación se basaba en dos premisas: ella daba y él recibía, aportando lo justo, lo básico, para mantenerla ilusionada y ciega, colgada de su felicidad. Bastaba un «te quiero», una caricia, una promesa...

Juan Manuel la había querido, eso sí, pero no densa y contundentemente.

Por esta razón, todo pasó en un abrir y cerrar de ojos.

Por esta razón, a la que siguió otra, los pajaritos de su cabeza anidaron en el nuevo árbol.

Al día siguiente hablaría con el profesor Tadeo, respondería a todas sus preguntas, y se volcaría en la sesión de terapia. Al día siguiente empezaría una nueva vida. Tenía muchas más cosas claras y quería regresar cuanto antes.

Regresar.

Extraña palabra.

En una esquina de su corazón nacía más y más la esperanza.

No tenía sueño. No podía dormir. Su cabeza daba vueltas en círculos, siguiendo una espiral interminable. Lo intentó y fracasó. Acabó levantándose de la cama para asomarse a la belleza de la noche y aspirar el suave aroma del jardín que ascendía hasta ella envolviéndola en fragancias.

Entonces le vio.

Jacinto.

Sentado en uno de los bancos, frente a un estanque, observando el reflejo de la luna en el agua, inmóvil, como una estatua. Posiblemente de guardia.

A veces tenía arrebatos.

Y ese fue uno de esos momentos.

Se apartó de la ventana, volvió a vestirse en un abrir y cerrar de ojos y salió de su habitación a la carrera.

Quería hablar con él, bajo la noche, los dos solos.

Sentir su voz, la caricia de su mirada…

–¿Adónde vas a estas horas, Mari Luz?

Frenó en seco. La enfermera Anastasia también estaba de guardia.

–Iba a… dar un paseo. No tengo sueño.

–Si todo el mundo paseara de noche, esto sería un manicomio, no una residencia –la mujer se cruzó de brazos.

–Pero...

–Anda, vuelve a la cama. ¿Quieres algo para dormir?

–No, no –aceptó su derrota.

Dio media vuelta y regresó a su habitación.

Ni siquiera se dio cuenta de cómo la miraba Anastasia, ni tampoco de cómo sonreía con malicia mientras se alejaba.

Cuarta parte:
Corriente continua

De pronto, los días se encadenaron. Dos, tres, cinco... ¿Cómo saberlo? Perdió la cuenta. El reloj seguía parado, y cuando quería recordar, tropezaba con una especie de barrera en su propia mente. La charla con Alicia sobre sus aficiones, ¿había sido el día anterior o el otro? Y el paseo con Jacinto, tan cálido y agradable, ¿lo había tenido hacía un par de días o aquella misma mañana? ¿Cómo era posible que todo se confundiera en su cabeza? Si había días y noches, ¿por qué aquella sensación de ingravidez temporal?

No luchaba contra ella, se dejaba llevar, pero eso no significaba que no la sorprendiera y aturdiera.

La vida era consumir tiempo.

Todo iba mejor desde su paso por el revisionario. Participaba activamente en las sesiones de terapia, tanto para opinar sobre los demás como para estudiar su caso, y se abría en cuerpo y alma a las preguntas del profesor Tadeo, colaborando con él en la búsqueda de cuantas respuestas flotaran sobre los interrogantes de su pasado.

Su confidente y compañera era Alicia.

Su mejor amigo, Jacinto.

Ahora era como si se conocieran de toda la vida. Podía hablar de cualquier tema, sincerarse, reír o discutir con él, incluso pelearse, perseguirse como niños por el jardín. El arrebato de aquella noche, cuando quiso bajar a verle por un impulso alucinado, ya no era más que eso, un arrebato. Se daba cuenta de que no hablaban de sentimientos, lo único que parecía quedar al margen entre ellos. Los sentimientos que, en su caso, podían traicionarla.

Día a día, eso sí, el medidor mostraba abierto el camino de su esperanza.

Su corazón iba recomponiéndose.

Nueve pedazos.

–Por debajo de diez –se mostró complacido Facundo Serrano.

–Fantástico, ¿no?

–Cuando entramos en la última barrera, parece que todo es más sencillo.

Tan fácil como iniciar una cuenta atrás.

–Gracias, doctor.

–Dátelas a ti misma. Estás colaborando al cien por cien.

Mari Luz se puso en pie y se dirigió a la puerta con un deje de orgullo. No hizo más que salir por ella cuando tropezó con la enfermera Anastasia. La redondita mujer le pasó un brazo amigable por encima de los hombros a pesar de ser más baja.

–¿Qué tal? –le preguntó.

–Nueve.

–¡Bien! –asintió con la cabeza dos o tres veces–. Esta noche serás una de las reinas de la fiesta.

Mari Luz se detuvo.

–¿Fiesta? ¿Qué fiesta?

–¿No has visto los anuncios en los tablones?

–No.

–Pareces una novata –chasqueó la lengua Anastasia–. Esta noche es la fiesta de la caléndula.

–¿Y eso qué es?

–Una excusa como otra cualquiera para montar un sarao –le mostró una expansiva sonrisa–. ¿No sabes lo que es una caléndula?

–No.

–En sentido figurado equivale a una maravilla. O sea, que es la fiesta de la maravilla.

–¡Pero si no tengo qué ponerme!

–Eres preciosa. Te basta con lavarte la cara y peinarte –Anastasia abrió la puerta por la que iba a colarse–. De todas formas, si quieres, me paso luego y te presto algo para que te maquilles un poquito. ¡Y solo un poquito!, ¿eh? Para darte color. ¿De acuerdo?

–De acuerdo –aceptó Mari Luz.

Se quedó sola en el pasillo.

Una fiesta.

Entonces se puso roja solo de pensar en Jacinto.

La fiesta, desde luego, era el colofón de toda aquella magia.

De entrada porque no había orquesta, grupo, cantante o lo que fuera. Los instrumentos estaban apoyados en sillas depositadas sobre una tarima, de manera testimonial. Sin embargo, en la pista de baile, el personal se movía como si hubiera música en alguna parte.

–¿Se han vuelto locos? –le preguntó a Renata, una de sus compañeras de terapia.

–Pisa uno de esos círculos –se limitó a decirle ella.

Al pie de la tarima, en la pista de baile, se distribuían una serie de círculos bastante amplios en cada uno de los cuales cabían cuatro o cinco parejas. Mari Luz puso un pie en el más cercano.

Nada.

Puso los dos.

Entonces sí, su cabeza se vio inundada de notas, armonías, perfectas vibraciones llenas de cálida vida que la hicieron sonreír y sentir como si algo la arrastrara a la danza.

Se salió del círculo.

Y la música «se apagó».

–¿Pero qué...? –miró los círculos alucinada.

Bastaba con situarse dentro de uno de ellos para sentir la música.

Sentirla, no escucharla.

Como si cada uno de los presentes tuviera un chip personalizado en la cabeza y recibiera las invisibles ondas procedentes de la tarima de los instrumentos.

Por esa razón también, cada cual percibía un tipo de sonido distinto.

Porque no todos estaban bailando lo mismo.

Alicia lo hacía enloquecida, sola y feliz, con los ojos cerrados. El profesor Tadeo y la doctora Nuria, abrazados, se movían lentamente. Facundo Serrano y la enfermera Anastasia, por el contrario, lo hacían a ritmo de tango, perfectamente compenetrados. Otros chicos y chicas se dejaban llevar según su estado de ánimo, porque dependía de cada cual escuchar un estilo u otro, un ritmo u otro. Cuando Mari Luz pisó el círculo en el que bailaba Alicia, no sintió nada rápido moviéndose por su interior, sino una melodía muy dulce.

–¡Uao! –la chica abrió sus enormes ojos al verla–.
¡Esto sí es *funky!*

–Yo siento otra cosa mucho más suave –le dijo Mari
Luz.

–Pues deberás preguntarte por qué –fingió una inocencia que no sentía y continuó con lo suyo, dejándola aún
más perpleja.

Pisó otro círculo.

La misma música.

Era incapaz de sentir otra cosa que no fuera aquella
melodía tan íntima y hermosa.

Sin embargo, cuando bailaban de dos en dos... ¿qué
sentimiento prevalecía? Era evidente que ambos oían la
misma canción.

Supo que las dudas iban a desvanecerse de inmediato
al aparecer él a su lado.

Jacinto.

–Hola –la saludó.

–Hola.

–Estás muy guapa.

Lo estaba. Y se sentía guapa, que era lo más importante. Anastasia le había prestado algo de maquillaje, tonos suaves, ligeros, casi transparentes. Un poco de color en los ojos,
para dar más intensidad a las cejas, las pestañas y la mirada;
un toque de brillo en los labios, dos hermosos pendientes largos que rozaban sus hombros desnudos. Eso y un apaño en la
ropa, para realzar su figura, había sido suficiente.

Jacinto también estaba muy bien.

Deportivo, informal, pero lleno de encanto.

Aunque no se lo dijo.

–¿Bailamos?

Mari Luz sintió el rubor en las mejillas.

–Bueno.

Jacinto la tomó de la mano. Caminaron hasta el círculo más próximo. Nada más entrar en él surgió otra clase de melodía en su mente. Miró a su compañero y supo que, por alguna extraña razón, estaba sintiendo la misma. Ya no preguntó. No fue necesario. Apoyó sus dos manos en los hombros de él y permitió que la enlazara con las suyas. No se resistió, cedió. Los dos quedaron pegados, con las cabezas muy juntas, rozándose las mejillas, aspirando sus respectivos aromas.

Mari Luz cerró los ojos.

¿Por qué no había bailado nunca así con Juan Manuel?

Jamás tuvieron «su» canción.

No quiso pensar en su ex. No porque le molestara o se sintiera agobiada, sino porque no le parecía ético estando con otro. Y estaba con otro, con Jacinto, bailando muy juntos, sintiendo una música que nadie salvo ellos mismos percibía, en un lugar perdido en alguna parte de su mente o de otra realidad ajena y bajo una noche tan hermosa que se hacía difícil imaginar otra clase de mundo que no fuese aquel.

Un mundo casi perfecto.

Aunque allí todos y todas tuviesen el corazón roto.

Alicia continuaba su frenesí danzante. Las restantes parejas, lo mismo. Más allá de la pista, el resto de enfermeros y enfermeras, médicos y pacientes observaban a los que ocupaban los círculos o hablaban entre sí.

La mano de Jacinto acarició su espalda.

No dejaron de bailar cuando terminó el tema, porque sin interrupción apareció otro, igualmente romántico, tan suave y lento como el anterior. Una voz de mujer, desconocida, interpretó la letra con mucha emotividad. Tanta, que Mari Luz se estremeció sin poderlo evitar.

–¿Tienes frío? –lo notó Jacinto.

–No, es la canción.

El muchacho la apretó un poco más contra sí. Mari Luz subió su mano derecha, hasta dejarla en la nuca de su compañero. Bajó la izquierda y le rodeó con ella. Poco a poco, su cabeza descendió hasta acomodarse en el hueco que le ofrecía la de él.

Pensó que encajaban como el yin y el yang.

Y volvió a dejarse llevar.

La letra hablaba de amor, de un cielo y un sentido, de un destino y un futuro. Vibraba y hacía vibrar. Pintaba sus espíritus de colores.

La mano de Jacinto volvió a acariciarla.

Entonces, ella abrió los ojos y se encontró con Alicia, en el otro círculo, mirándola llena de malicia.

Su amiga le guiñó un ojo.

Mari Luz cerró los suyos.

Era la canción más bonita que jamás hubiese escuchado y no quería que nada ni nadie lo enturbiase, y menos que atravesara aquella invisible barrera tras la cual ahora los dos se refugiaban.

Su mundo.

Alicia la asaltó por la mañana, nada más levantarse.

–¡Cuenta, cuenta!

Mari Luz sabía de qué le estaba hablando. Aun así, intentó hacerse la despistada.

–¿Qué quieres que te cuente?

–¡Venga, mujer! ¿Qué pasó?

–Nada –intentó ser convincente–. Bailamos, charlamos...

–¡Bailasteis toda la noche! –gritó su compañera.

–No te pases. ¡Toda la noche!

–¡A ver! ¡Y luego desaparecisteis!

–Fuimos a dar un paseo.

–¿A la luz de la luna? –puso cara de descomposición estomacal–. ¡Va, cuéntamelo, no seas perversa!

–Alicia, por Dios, que no hay nada que contar.

–Vale, de acuerdo –su expresión se nubló, llena de cenizas y tristeza–. Creía que éramos amigas.

–Y lo somos, pero te digo la verdad. No hicimos más que bailar, y muy bien, fue delicioso. Luego dimos una vuelta, y eso es todo.

–¿Te besó?

–¡No! ¿Qué dices?

–¿Y de qué hablasteis?

–De trivialidades, del hospital, de su carrera de médico, de lo bonita que estaba la noche… ¡Eres una romántica perdida! ¿Lo sabías?

–¡Sí! –ahora su cara fue de éxtasis, aunque recuperó rápido lo que parecía ser un atisbo de desilusión–. ¿De veras no te besó? ¡Pero si estabais tan encandilados!

–Porque la música era preciosa y yo me sentía muy a gusto…

–Estás curada, Mari Luz, ¿no lo ves?

–¿Cómo voy a estar curada si aún tengo el corazón roto?

–¡Lo estás, no hay más que verte la cara, y más anoche, bailando con Jacinto! ¡Me pareciste la chica más feliz del mundo!

Había sido la chica más feliz del mundo.

Aunque ahora, recién estrenado el día, la noche anterior empezase a quedar atrás.

Alicia hizo la pregunta que más temía.

–¿Estás enamorada de él?

–No seas tonta –reaccionó rápido–. ¿Cómo voy a enamorarme de... de una ilusión?

–¿Y por qué ha de ser una ilusión?

–¡Porque todo esto lo es! ¡Anoche oíamos... mejor dicho, sentíamos la música sin que nadie la tocase! ¡Y cada cual oía la suya, la que deseaba o necesitaba! ¿Te parece normal? No sé dónde estoy, ni qué está pasando, si es algo que está en mi cabeza, como insinuó el doctor Serrano, o si se trata de algo situado más allá de la razón, pero he de tener los pies en el suelo o acabaré volviéndome loca. ¡No puedo dejarme llevar sin más! En alguna parte, la vida sigue, no sé si con o sin nosotras, pero sigue. O puede que el mundo esté detenido entre dos segundos y nosotras vivamos otra vida en medio. ¡No lo sé! ¡Anoche era muy feliz, claro que sí, no tenía ningún problema salvo lo de mi corazón, y estaba bailando con alguien que me gusta y me cae muy bien! ¡Pero eso es todo!

–Si esto es una ilusión, yo también lo soy.

Mari Luz no quiso responder.

–O puede que tú seas la ilusión de mi mundo, y entonces la que no eres real eres tú –insistió Alicia.

–Esto es demasiado filosófico –suspiró ella–. Lo único que entiendo es que no puedo quedarme aquí de por vida, enamorada de un fantasma.

–¡No es un fantasma! ¡Si le quieres, no es un fantasma! ¡Si le amas, es que es de verdad!, ¿no lo entiendes?

–No –se rindió.

–¿Por qué no te das una oportunidad?

–¿De qué, de volver a sufrir? –alzó las cejas sorprendida–. Mi ex era lo que era, y me equivoqué con él, pero Jacinto pertenece a este mundo, ¡y yo voy a irme de aquí, tarde o temprano! ¡Tengo una vida! ¡No puedo volver a equivocarme!

–Estás a la defensiva.

–¡No hagas de profesor Tadeo conmigo, por favor!

–Solo digo que deberías alegrarte de tener esta oportunidad. Jacinto es perfecto.

–Los sueños suelen serlo.

–Pero le quieres, ¿verdad? Dime al menos si sientes algo por él.

–¿Por qué te importa tanto saberlo?

–¡Porque él sí se ha enamorado de ti, y se le nota!

–Eso no es cierto –se puso roja.

–Puede que no se atreva a decirte nada, a darte un beso o cogerte de la mano, pero es así, Mari Luz. Claro que se ha enamorado. Y para mí es la mejor de las noticias posibles.

–¿Para ti? –frunció el ceño ella.

–¿No te das cuenta? –los ojos de Alicia se hicieron cristalinos al aparecer sendas gotas de humedad en sus pupilas–. Yo tardaré en salir de aquí. Tardaré mucho, porque mi caso es distinto al vuestro –las dos lágrimas rebosaron su dique y cayeron por sus mejillas–. ¡Necesito ver cómo os curáis! ¡Necesito saber que tengo una esperanza! ¡Necesito creer en el amor a pesar de todo, Mari Luz!

Las dos lágrimas llegaron a la barbilla y saltaron al vacío.

Después, Alicia y Mari Luz se abrazaron en silencio, a unos pocos metros de la sala de terapia en la que ya iban entrando el resto de chicos y chicas.

La nueva tenía catorce años y se llamaba Grisela.

Mari Luz recordó su primer día, su recelo, su incertidumbre. Nada comparado con el de la recién llegada, que lo miraba todo muy asustada, encogida, con las manos unidas y apretadas sobre el regazo, los pies juntos, una desvalida imagen rebosante de tristeza. Parecía una muñeca rota, porque era menuda, muy bonita, cabello corto, rostro redondo, ojos enormes y labios extremadamente rosados y carnosos.

—Tenemos una nueva compañera —anunció la doctora Nuria.

El ritual fue el mismo que con ella. Presentó a los que formaban el círculo de pacientes y anunció el nombre de la recién llegada. Acto seguido, le soltó prácticamente el mismo párrafo que había empleado aquella mañana que, a veces, parecía ya muy lejana.

Aunque hubo una salvedad.

—Dado que tu caso ha sido tramitado con carácter de máxima urgencia, Grisela, hoy empezarás tú hablando de lo que te ha sucedido. Sé que es duro, que no conoces todavía a tus compañeros y compañeras, y que tal vez no te sientas con fuerzas para tanto, pero cuanto antes te enfrentes a la realidad, será mucho mejor para ti. ¿Estás de acuerdo?

No hubo respuesta.

El rostro de la muchacha se revistió de ansiedad.

—Estamos aquí para ayudarte —le sonrió la doctora Nuria. Y desplazó una de sus hermosas manos para acariciar las de ella, puesto que la tenía a su lado—. Has de estar relajada. Aquí los problemas son comunes, los tuyos y los de ellos. Formamos un equipo, una entidad solidaria. Comprendiéndonos los unos a los otros, comprendemos lo que nos pasa a nosotros mismos. Siempre tendemos a creer que nuestro caso es el más importante y grave, y no es así. No somos ni excepcionales ni únicos. El menor problema puede llegar a ser una montaña para una persona. Así que aquí todos confesamos lo que nos sucede, todos escuchamos, todos hablamos y todos reaccionamos. ¿De acuerdo?

Grisela asintió con la cabeza.

–Te ayudaré –dijo la doctora–. ¿Sabes que tienes rotura máxima?

–Sí.

–¿Por qué estás aquí, Grisela?

–Porque… dicen que se me rompió el corazón.

–¿Es así?

–Sentí un dolor… muy intenso y…

–¿Por qué se te rompió el corazón?

No hubo respuesta.

De tanto apretarse la una contra la otra, las manos se le blanquearon.

–Responde, Grisela –la invitó con voz amable la doctora.

–Creía que estaba… embarazada, pero…

–¿Lo estabas? –preguntó al ver que se detenía de nuevo.

–No.

–Sin embargo, no se te rompió el corazón por ese motivo.

–No.

–¿Qué fue entonces?

–Patricio me engañó.

–¿Tu novio?

–Sí.

–¿Desde cuándo erais novios?

–Hacía un año.

–¿Y por qué te engañó?

–Me dijo que… me quería.

–¿Y no era así?

–No.

–¿Cómo lo supiste?

–Porque yo podía ser una inmadura, pero él… era un cerdo.

–¿Te dejó?

–Sí.

–¿Al pensar que estabas embarazada?

–Sí.

–¿Qué hiciste entonces?

De nuevo la respuesta naufragó en sus labios.

Pero ahora las manos hicieron algo más: taparse las muñecas.

Las cicatrices.

Mari Luz sintió una infinita piedad. Todos los que estaban allí habían sentido el rechazo, el desprecio de la persona amada. Y casi todos tratándose de su primera relación, la que solía marcar de por vida. A Ricardo su novia le había dejado por otro; a Pol, la suya porque era pobre; a Maite, el suyo por no querer hacer el amor antes de tiempo; a Edelmira, el suyo porque él se había enamorado de pronto de una chica mayor; a Chema, porque ella era una coqueta que necesitaba tener al menos tres novios para sentirse feliz. Y así todos y todas.

Hasta ese momento pensaba que el caso de Alicia era el peor. Y aún lo pensaba.

Pero Grisela, habiendo querido acabar con su vida a los catorce años…

–Escuchad –la chica los miró a todos–. Sé que esto no es real, que en realidad yo estoy en coma y… Bueno, quiero decir que ahora mismo debo de estar entre la vida y la muerte…

–¿Querrías despertar? –le preguntó la doctora Nuria.

–Sí.

–Pero has querido matarte.

–Es que en el último momento… No sé qué pasó, algo en mí me gritó que no, que necesitaba vivir. Fue muy extraño.

–¿Fue al rompérsete el corazón?

–Sí. Veía cómo la sangre se escapaba de mi cuerpo, y entonces... Eso no me dolía. Nada. Pero el corazón sí, y al notar cómo estallaba en mi pecho...

–Patricio te hizo mucho daño, ¿verdad?

–Yo se lo di todo, me entregué en cuerpo y alma.

–El amor siempre es así: una entrega total y absoluta.

–¡Pero yo tenía... tengo catorce años! ¡Ahora creo que me volví loca!

–El amor también es eso: locura. Si no, no sería algo tan fuerte.

–¿Puedo preguntar yo algo?

–Claro.

Mari Luz se dio cuenta de lo valiente que era la recién llegada cuando la oyó decir:

–Sea esto un sueño o no, ¿tengo una oportunidad?

La doctora Nuria los abarcó a todas y todos con la mirada. No hizo falta decir mucho más.

–La tienes –manifestó Raquel.

–Sí, por supuesto –convino Alberto.

–Si estás aquí, es porque quieres vivir –aseguró Bartolomé.

El resto les secundó con palabras más o menos parecidas, incluidas Alicia y Mari Luz.

–¿Cómo veis el caso de Grisela? –abrió el debate la doctora Nuria.

La luna llena era mucho más grande de lo normal.

Mari Luz la contempló preguntándose si alguna vez, cuando volviera, vería una luna más hermosa que aquella.

La noche anterior, bailando, había descubierto una nueva dimensión de sí misma. Era como si la adolescente que había llegado a la residencia hubiese desaparecido en algún rincón y en su lugar hubiera aparecido la nueva Mari Luz, la mujer.

Tan llena de esperanzas.

Había mentido a Alicia. Sí, sentía algo por Jacinto, aunque no sabía qué era. Y si lo sabía, prefería no decirlo en voz alta, ni pensar demasiado en ello. También reconocía en él los signos y los síntomas del mismo sentimiento. Sin embargo, le había dicho la verdad al referirse al resto. No hubo nada. El baile, en silencio, cargado de desafíos, roces, caricias y ternuras, y luego el paseo, sin más, inocente. Un paseo tranquilo, liberador, con una conversación que de forma deliberada había huido de cualquier tipo de trampa, especialmente sentimental.

Sabía mejor que nadie que una noche de luna, después de un baile, a solas, caminando por senderos llenos de flores y oscuridades, era justamente eso: una trampa.

Seguía creyendo que no podía permitirse ningún lujo.

No allí.

Si Jacinto era el ideal de sus sueños, era porque ella misma lo había creado así en su mente.

–Hola.

No se sobresaltó. En el fondo lo esperaba. ¿A quién quería engañar? No había ido a la habitación después de cenar, porque entonces escaparse era más difícil. Ahora él estaba a su lado.

Y ella temía volver la cabeza para mirarle.

No lo hizo.

–¿Has visto esa luna? –suspiró.

–Sí –dijo él.

–Es imposible que haya nada más hermoso.

–Lo hay.

Se puso roja. Pero se equivocó.

–La vida –manifestó Jacinto–. Ella lo tiene todo, esa luna incluida.

–Deberías escribir poesía.

–Ya lo hago.

Ahora sí se dio la vuelta y quedó frente a él. La luna se reflejaba en sus ojos, pero más blanca era su sonrisa. Jacinto le pasó el dorso de su mano por la mejilla y ella se quedó paralizada.

Fue tan inesperado...

–Mañana por la tarde te llevaré al Lago de las Lágrimas Perdidas.

–¿No será como el de los Nombres Perdidos?

–No, ¿por qué?

–Porque me resultó un poco aterrador.

–El de las Lágrimas Perdidas surge de una leyenda. Dicen que sus aguas nacieron de todas las lágrimas derramadas por los corazones rotos a lo largo de los tiempos.

–Una leyenda dolorosa.

–Depende. También son lágrimas de liberación.

–¿Está muy lejos?

–No, y es precioso, tanto el lago como el camino. Pero hay que ir con alguien autorizado, y de día. Esto está lleno de parajes encantadores y cargados de historia.

–Dime algunos.

–La Llanura de los Deseos, el Desierto de las Flores, la Galería de los Recuperados...

–¿Por qué nadie me ha hablado de eso antes?

–Todo a su tiempo. Y yo lo hago ahora.

–¿Has llevado a muchas pacientes a esos sitios?

Supo que la pregunta había sido una impertinencia, pero ya era tarde. Un destello del pasado. Eso era propio de una adolescente haciéndose la interesante, coqueteando o buscando respuestas procaces para iniciar algún tipo de diálogo picante.

Jacinto pareció no darle importancia.

—No —se limitó a decir—. Es difícil hacer amistades aquí. Las personas entran y salen.

No quiso continuar por aquel derrotero.

—¿Qué clase de desierto es ese si hay flores? —cambió el sesgo de la conversación.

—Cada chico o chica que se va de aquí curado hace que crezca una flor en el desierto. De ahí su nombre.

—¿En serio? —se asombró Mari Luz.

—Hay rosas, tulipanes, orquídeas, claveles, margaritas... De todo. Y huele de maravilla.

—¿Y la Llanura de los Deseos?

—Es un lugar al que se va a pedir eso: deseos. Cuando el corazón está por debajo de cinco pedazos y la esperanza ha renacido, es el momento adecuado. Los deseos son tantos que por eso, más que un pozo, se necesita una llanura.

—¿Y lo último que has dicho, la Galería de los...?

—Galería de los Recuperados.

—¿Tiene que ver con los pacientes de la residencia?

—Ven.

La cogió de la mano.

Y ya no la soltó durante el breve trayecto, camino de uno de los pabellones del ala sur, de manera que sus dedos acabaron entrelazados. Con toda naturalidad.

No le latía el corazón, pero sí el pulso.

Muy acelerado.

No era una zona que hubiese frecuentado antes. Mari Luz se dio cuenta de dos cosas casi consecutivas: que por fuera, la galería parecía muy pequeña, pero en cambio por dentro... era enorme. Al entrar e iluminarse se encontró con lo que daba la impresión de ser un gran museo de imágenes. Allí había miles de fotografías, más o menos del mismo tamaño, cubriendo sus cuatro paredes.

–¿Estos son…?

–Los pacientes que han pasado por aquí.

–¿Todos?

–Todos –sonrió Jacinto.

–Bueno, serán los que se han curado.

–Todos se han curado, Mari Luz. Si estáis aquí, es porque queréis vivir.

El sismógrafo del corazón roto, la llamada de la vida, sí, ya lo sabía. Pero aun así…

Se acercó a las primeras fotos. La mayoría, jóvenes como ella. Sonreían desde el pasado. Debajo vio el año y el nombre. Las imágenes se remontaban hasta un tiempo muy lejano. De vez en cuando, una de las fotografías mostraba también a un hombre o una mujer ya mayores. Cuarenta, cincuenta, sesenta años. Eran la prueba de que el amor irrumpía siempre en la vida, en cualquier momento, por la puerta o por la ventana del alma. No importaba la edad, ni que fuera el primero o el último.

Aunque allí la mayoría fueran primerizos.

Adolescentes, jóvenes…

Caminó sin prisa, observando aquellos rostros. Los había de todas las clases, hermosos y más vulgares, grandes o pequeños, blancos o negros. Rostros unidos por un mismo vértigo. Rostros devueltos a la vida, porque no en vano aquella era la Galería de los Recuperados.

De pronto se detuvo.

–¡Oh, Dios! –se llevó una mano a los labios.

–¿Qué sucede? –frunció el ceño Jacinto.

Mari Luz miraba una fotografía, boquiabierta, alucinada. Estaba pálida. Su compañero leyó el nombre en voz alta:

–Paula Forcadell Miró.

–¡Es mi madre! –gimió ella–. ¡Y tenía mi misma edad!

Jacinto observó el parecido. Esbozó una sonrisa, pero nada más. Hasta que Mari Luz, recuperada de la sorpresa, volvió a dirigirse a él.

–¿Cuánto hace que existe este lugar?

–Desde que hubo una primera persona enamorada que se sintió morir al rompérsele el corazón.

–¿Se guardan los historiales de todos los casos?

–Supongo, ¿por qué? No querrás curiosear el de tu madre...

–Me gustaría saber de quién se enamoró.

–¿No crees que lo más importante es que se casó con tu padre? De no haber sido así, tú no habrías nacido.

Eso la hizo parpadear. Seguía conmocionada.

–Mi madre... –repitió sin apenas voz.

Continuó caminando, aunque medio sonámbula, cuando Jacinto la empujó suavemente.

–No podemos quedarnos aquí mucho rato a esta hora –le susurró–. Podría cargármela.

–El doctor Serrano me dijo que por aquí habían pasado familiares y amigos míos, pero nunca imaginé... –se dejó arrastrar unos pocos metros.

–¿A quién no le han roto el corazón alguna vez?

No era un consuelo.

Pero tenía mucho que hablar con su madre cuando regresara.

–Jacinto...

Iba a preguntarle algo, pero sus palabras fueron abortadas de raíz. Su mente se quedó en blanco.

Volvió a detenerse y a abrir los ojos hasta la desmesura, a punto de salírsele de las órbitas, cuando de pronto vio otra fotografía, ahora con la imagen de un joven adolescente con cara de pillo.

Esta vez sí gritó:

–¡Este es mi padre!

La conmoción por su descubrimiento persistía.

¡Su padre y su madre se habían enamorado de otros antes de conocerse! Era de lo más normal, y natural, pero aun así... Si de algo estaba segura, era de que se querían mucho, muchísimo. Solían decir que habían estado vacíos antes de conocerse, que ella era la mujer de su vida y él, el hombre de la suya.

Y los dos habían pagado un peaje.

La vida estaba llena de sorpresas.

–¿Crees en el destino? –le preguntó a Jacinto.

Luego tuvo ganas de soltar una carcajada.

¿A quién le preguntaba si creía en el destino, a un chico que era imposible que existiese porque formaba parte de un sueño?

Entonces... ¿su padre y su madre, allí, en la Galería de los Recuperados, también eran parte de esa ilusión?

¿Y si aquello era más real que la misma vida?

–Sí, creo en el destino –le respondió Jacinto.

–¿Piensas que si dos personas están condenadas a encontrarse, por más vueltas que den, aunque se crucen incluso varias veces a lo largo del tiempo, lo harán en el momento y el lugar precisos?

–Sí.

–Pero esto te deja muy poco margen de...

–Al contrario, te lo deja todo. Cada cual vive la vida como escoge vivirla, y en función de ello, suceden las cosas.

–¿Y el amor cómo encaja?

–El amor es la guinda, lo que da forma a esas vidas. Cuando nos enamoramos, nos desnudamos, nos quitamos la piel, estamos dispuestos a dar y a recibir, y entonces empezamos todo de nuevo. Dejamos de ser «yo» para ser «nosotros». Dejamos de pensar en singular para pensar en plural. Pero el amor no se fuerza, aparece. Ni es una carga, es un don. No es fácil amar. Mucha gente confunde amor con necesidad, pasión con ansiedad, y entonces entierran su libertad en una cárcel de sentimientos dolorosos. Yo creo en el amor, ¿sabes, Mari Luz? Y más desde que estoy aquí mientras estudio.

–Aquí, aquí –sintió un nudo en la garganta–. Hablas de esto como si fuera… algo de lo más natural.

–Sigues aferrada a la negación.

–Por Dios, Jacinto –se sintió impotente–. ¿Quién eres?

–Ya lo sabes.

–No, no lo sé, ese es el problema. Apareces de repente en mi vida, o en esta vida que tengo ahora, aparte de la real, y siento como si me arrastraras…

–Sigue –le pidió al ver que se detenía.

–No, da igual –se resignó.

–¿Quién crees tú que soy?

–¿Un ángel de la guarda? –se rió falsamente de su propia ocurrencia.

–No –repuso él muy serio.

–Entonces…

–¿No has pensado que todo tiene una razón de ser? Unas veces es muy lógica, y otras, absurda, pero la razón existe. Unas veces la entendemos, y otras, quizá la mayoría, no, pero sigue existiendo –Jacinto la sujetó por los brazos–. Acabas de preguntarme si creo en el destino, y te he dicho que sí. Así que si estamos juntos es por algo. Si nos hemos conocido, aquí o donde sea, es por algo, y si nos está pasando lo que nos está pasando, es por algo.

Quiso preguntarle, gritarle, qué les estaba pasando.

Quería oírselo decir.

Entenderlo y aceptarlo.

Pensó que Jacinto iba a besarla. Seguía sujetándola por los brazos, y la presión era firme aunque dulce. Sus ojos eran dos lagos serenos. Sin darse cuenta, entreabrió los labios.

Le zumbaron los oídos.

La escena se congeló una larga eternidad hasta que...

—¿Qué hacéis ahí?

Las manos de Jacinto dejaron de sujetarla. La intensidad se deshizo como un azucarillo. A ella se le cerraron los labios y a él se le desvaneció aquella mirada.

—La llevaba a su habitación —le dijo él a la enfermera Anastasia.

—Vamos, vamos, hay que dormir —la mujer movió la cabeza como una madre comprensiva.

Mari Luz dio un paso.

—Mañana por la tarde —musitó Jacinto en su oído antes de que diera el segundo.

No volvió la cabeza para verle por miedo a delatarse y pasó junto a la enfermera Anastasia dispuesta a entrar en su habitación.

El test llegaba a su fin.

Más de cien preguntas rápidas, con respuestas igualmente rápidas.

Algunas tan estúpidas como aquella.

—¿Prefieres estar delgada o gorda?

–Prefiero estar bien.

–¿Qué rima con noche?

–Coche.

–¿Y con dolor?

No cayó en la trampa.

–Calor.

El rostro del doctor Serrano permaneció impasible.

–¿Tu estación preferida?

–La primavera.

–¿Qué clase de libros prefieres?

–Los que me hagan sentir algo.

–¿Qué te ha parecido este test?

–Supongo que tendrá algún sentido, pero algunas preguntas eran muy tontas.

Facundo Serrano dejó el pliego de papeles sobre la mesa y le dirigió una sonrisa.

–Mari Luz, estás casi a punto. Me siento francamente orgulloso de ti.

–Gracias.

–Vamos a ver…

Extrajo el medidor numérico y ella se desabrochó la parte superior de la blusa para que le aplicara la ventosa del escáner. El médico repitió el ritual habitual. Después de fijarle el sensor de la cabeza, manipuló el aparato y esperó. Mari Luz contuvo la respiración.

–Tu corazón ya solo tiene tres pedazos –dijo Facundo Serrano.

Tres.

Ya estaba por debajo de cinco.

Y lo curioso era que no sabía si aquello la hacía sentirse feliz o no.

Allí el tiempo no transcurría. Era el limbo ideal. Nada la obligaba a querer curarse cuanto antes para volver... ¿A qué? ¿A la ausencia de Juan Manuel? ¿Al recuerdo de Jacinto en forma de sueño imposible?

Sí, un maldito sueño imposible.

¿Por qué tenía que pasarle aquello a ella?

¿Y si se lo preguntaba al doctor Serrano?

Se imaginó la escena: «Oiga, me parece que me gusta uno de los enfermeros de la residencia, y yo creo que le gusto a él». Encima pondría a Jacinto en un compromiso.

En lugar de eso recordó algo.

—Doctor, ayer estuve paseando por la Galería de los Recuperados.

—Interesante lugar, ¿no? —respondió como de pasada, mientras guardaba el medidor numérico.

—Vi a mis padres.

—¿Sí?

—Rogelio Santos y Paula Forcadell.

—Los recuerdo —sonrió afable.

—¿En serio?

—Pues claro. Recuerdo a todos y a todas.

—¡Pero si debió de ser hace un montón de años!

Facundo Serrano le dirigió una mirada burlona.

—Vale —suspiró Mari Luz—. Olvídelo. Lo que me interesa es saber cómo es que ellos estuvieron aquí.

—¿Tanto te extraña?

—Pensé que uno y otra eran el amor de su vida.

—Y lo han sido. Se conocieron, se casaron, y parece que todo les ha funcionado. Son felices, ¿no?

—Sí.

—Pues es lo único que cuenta —repuso el médico—. Los dos tuvieron su historia, los dos se enamoraron siendo adolescentes, a los dos les fue mal esa primera vez y se les rompió el corazón, pero... lo importante es que se recuperaron, comprendieron la verdad, entendieron que la vida es

151

un camino largo que hay que recorrer paso a paso, quemando etapas, y luego se conocieron, se enamoraron y vieron que ese era el amor de su vida, el definitivo.

–Y si se hubieran divorciado, ¿qué?

–No es el caso, así que no vale la pena pensar en ello.

–Cuando regrese les preguntaré.

–Eso está bien.

–¿Está bien que les pregunte?

–También. Pero yo me refería a lo de «cuando regrese». Eso es tener ánimo y sentido de la responsabilidad. Muchas chicas y chicos se sienten cómodos aquí, protegidos, a salvo de todo mal, y olvidan que esto no es más que un tránsito, que la vida debe seguir.

Mari Luz no le dijo que ella lo había pensado.

Aquella misma noche.

–¿En cuántos pedazos se les rompió el corazón a mis padres?

–No estoy autorizado a revelarte eso. Deberán decírtelo ellos.

–¿Y si no lo hacen?

–Lo harán. Que los padres no cuenten según qué cosas a los hijos no significa que cuando ellos les preguntan no se atrevan o no quieran responder. ¿Sabes una cosa? Para la mayoría de adolescentes, los padres son esos grandes desconocidos. Fingís que no os importa lo que haya sido de su vida antes, y hasta os parece extraño que hayan sido jóvenes y cometido locuras. Y más extraño todavía, que hayan tenido novias o novios anteriores, con los que pueden cruzarse por la calle. Los padres ni han sido santos ni han sido demonios. Son personas. Pero tener o sentir vergüenza de ellos forma parte del crecimiento y la evolución de cualquier adolescente, porque en la adolescencia el mundo está mucho más cerrado. Con el tiempo vemos que no podemos hacer un mundo a la medida y racionalizamos las cosas, las entendemos y, lo que es más importante, las aceptamos.

Le gustaba oírle hablar.

Y también a la doctora Nuria, y al profesor Tadeo, e incluso a la enfermera Anastasia, ahora que los conocía bien.

–¿Alguna pregunta más?

Tenía miles.

Se resignó a no decírselo.

–Entonces andando, que te esperan en terapia y después en psiquiatría. Que pases un buen día.

Iba a serlo, estaba segura.

Tenía una cita por la tarde.

Alicia la abrazó emocionada cuando se lo dijo.

–¡Tres pedazos! ¡Esto es… sensacional!

–No cantes victoria. Dicen que lo peor es el final.

–Tú lo conseguirás en un abrir y cerrar de ojos, ¡ya lo verás!

–Me gustaría tener tu fe.

–¿Qué dices? Tenías un grado tres, con tu corazón roto en veintitrés pedazos, y ahora en cambio…

–Supongo que aquí he visto las cosas más claras.

–Vaya, me alegro de que no lo consideres ya una ilusión.

Seguía creyendo que lo era, que todo aquello resultaba demasiado imposible; pero, real o no, lo cierto es que a ella la había ayudado. Se conocía mucho mejor.

Había madurado.

–Alicia, nunca me has dicho cómo está tu corazón.

La muchacha bajó los ojos al suelo; se sentía pillada a contrapié.

—¿Qué quieres que te diga?

—¿Cuántos pedazos...?

—Está prácticamente igual que cuando llegué. Lo mío era rotura total, grado máximo, como esa chica, Grisela. Lo de que el tiempo no corra se ha hecho para nosotras, compañera.

—¿Cómo es posible que no hayas mejorado más?

—No todo el mundo reacciona igual. Tú eres una persona positiva. Yo no. Lo más importante es ser positivo. Tengo una tía a la que le diagnosticaron un cáncer y le dieron entre uno y tres años de vida, dependiendo de la terapia. Pues bien, ella dijo que no se iba a morir... ¡Y si la vieras ahora...!

—¿Ha sobrevivido?

—¿Sobrevivido? —soltó un bufido—. Han pasado diez años y está como una rosa. ¡Venció al cáncer! Es la prueba de que la mejor de las medicinas es la voluntad, el estado de ánimo, lo de ver el vaso medio lleno en lugar de medio vacío.

—Y tú no eres así.

—Para nada —se resignó Alicia—. Solo vi el cielo de color azul cuando me enamoré. Eso sí me cambió. Pero al morir él...

—Todos tenemos una segunda oportunidad, y hasta una tercera. Las que queramos.

—¡Si ya lo sé, Mari Luz! —se quejó Alicia—. ¡Lo he aprendido aquí, y soy consciente de ello, por eso sigo viva, pero mientras tanto están el dolor, lo de moverse por tierra de nadie, el miedo de volver a empezar, preguntarte a cada momento si ese chico será él o solo un barco con el que te cruzas en la noche.

–Ayer Jacinto me llevo a la Galería de los Recuperados.

–Me han hablado de ella, pero no la conozco.

–Tendrías que ver todas esas fotos. Estaban como tú y como yo, pero renacieron, se enfrentaron a la vida. Me encontré con mis propios padres, ¡los dos!

–¿En serio? ¡Qué fuerte!

–Yo siempre creí que se conocieron, se casaron y fueron felices. ¡Pero, antes de eso, también tuvieron el corazón roto una vez!

–Mari Luz, yo regresaré algún día –dijo Alicia muy seria–. Pero no antes de que esté preparada y mi corazón vuelva a funcionar. Y eso, ni ellos –señaló el edificio del centro médico– ni nadie puede garantizar que vaya a ser mañana o pasado o dentro de Dios sabe cuándo. Depende de mi cabeza –se tocó la frente con un dedo–. Es más, yo no quiero regresar si no me siento con el ánimo necesario para enfrentarme a mis miedos, a la ausencia de la persona con la que creí que pasaría toda mi vida.

–Lo conseguirás –Mari Luz le pasó un brazo por encima de los hombros.

–Ya lo sé –se dejó abrazar ella.

Habían comido juntas, y la tarde ya flotaba sobre el jardín con su plácida monotonía. No había relojes, pero Mari Luz supo que debía marcharse.

Alicia también.

–Anoche os vi desde la ventana.

–Dimos… un paseo.

–¿Y nada?

–No.

–Pero ahora te espera, ¿verdad?

No tenía por qué mentirla.

–Sí –reconoció.

Alicia se detuvo.

–Ve –le pidió–. Y si lo intenta, no te resistas, por favor. A ver qué pasa.

Mari Luz le dirigió una sonrisa final.

Luego caminó despacio hacia su cita, aunque su alma corriera.

No habían dado más allá de unos pasos...

Y de pronto lo comprendió.

Más que una cita, se dio cuenta de que era una escapada. No en dirección al exterior, si es que había un exterior, ni tampoco al interior de sí misma.

Una escapada del uno hacia el otro.

La soledad para ser, saber, entender.

Mari Luz observó a Jacinto. Iba delante, conduciéndola, pendiente del sendero, que ya no era llano, sino ascendente. Vestía con comodidad, una camisa, unos vaqueros, unas zapatillas deportivas. Sin la bata blanca perdía el rigor médico, se transformaba en una persona normal y corriente, un joven como ella. Sin la bata blanca, la pátina de seriedad daba paso a una imagen diáfanamente vital. Sus ojos, su boca, sus manos, el conjunto de su cuerpo destilando armonía.

Aquella atracción la turbó.

Por eso tropezó sin darse cuenta y casi se cayó al suelo de bruces. Trastabilló y él reaccionó rápido volviéndose para sujetarla.

–Ten cuidado –le rogó.

–Iba distraída.

–Ven, dame la mano.

No era más que una cuesta, pero se la tendió de buen grado. Jacinto la agarró con fuerza y tiró de ella. Se sintió mucho más ágil, como una pluma. Sobrevoló la pendiente, que se hizo más acusada al final, y pronto coronaron el primer cerro, o colina, o como se llamase, porque no era precisamente una montaña. Por detrás se veía el complejo hospitalario, con sus edificios, los jardines, los distintos lagos y estanques que los jalonaban, los bosques y los caminos que los serpenteaban. Por delante y a ambos lados, nuevas colinas o cerros formaban una alfombra verde, un paisaje idílico, dotado del mayor de los bucolismos imaginables.

–Esto es el edén –suspiró Mari Luz.

–Casi.

Continuaron la marcha, y aunque el camino era ahora más recto, ya no se soltaron de la mano. A veces volvía a empinarse, y otras se quebraba repentinamente hacia abajo. En ambos casos, Jacinto se detenía para ofrecerle su apoyo, bien tirando de ella para que tuviera un punto en el que afianzarse al subir, bien sujetándola por la cintura para que saltara desde esa elevación.

La segunda vez que sucedió esto, cayó frente a él, y quedaron muy juntos, casi pegados.

El olor de la tierra, el aire, casi los empujaba.

Pero más su aliento.

Aquella atracción que la había turbado, de repente, se convertía en deseo.

Algo que la asustó mucho más.

Sobre todo porque los ojos de Jacinto no eran más que un espejo en el que ella veía reflejados los suyos.

Continuaron caminando.

Otra colina, nueva subida, nueva bajada. No llevaban demasiado tiempo caminando, pero ya no se veía la residencia. La tierra era rojiza, contrastaba con la hierba verde, igual que si acabase de llover sin parar durante días. Todos los colores exultaban vida, el del suelo, el de los árboles, el de las flores, el del cielo. Sentía sus cinco sentidos potenciados al máximo, como si allí las sensaciones fueran mucho más fuertes. El tacto de la mano de Jacinto, el clamor de la naturaleza agigantándose en su oído, los aromas picoteando su olfato, el gusto de la saliva igual que si acabase de beber un néctar único, y finalmente el placer de la vista, por cuanto los rodeaba y por él.

¿Qué le estaba sucediendo?

¿Por qué aquella borrachera de los sentidos?

Sentía la mejor y más poderosa de las drogas recorriendo su cuerpo: la vida.

–Ya hemos llegado –dijo Jacinto.

Un paso más. Coronó aquel promontorio.

Y desde la cima vio su destino, el Lago de las Lágrimas Perdidas.

Un pequeño océano acotado por montañas de paredes casi verticales y con aquel único sendero que bordeaba más y más bosques hasta ir a morir en su única orilla.

Sentía sus emociones a flor de piel.

Y eran muchas.

–¿Qué te parece?

Sus ojos hablaron por ella; su semblante irradiaba esplendor.

–Es… precioso.

–Yo lo considero un lugar mágico, tanto por la leyenda como por todo lo que desprende. Y te aseguro que el Desierto de las Flores es igualmente impresionante.

–¿Más que la Llanura de los Deseos?

–La llanura es un lugar en el que se pide la vida, mientras que el desierto ya te la ha ofrecido: cada flor es un regalo.

–Entonces, este lago debería de ser un lugar de dolor.

–Ya te dije que no, que eran lágrimas de liberación. Bajemos hasta la orilla y verás cómo allí, a ras de agua, todo parece distinto, un auténtico paraíso.

Volvieron a cogerse de la mano.

Y descendieron paso a paso por el sendero, en dirección a la pequeña playa cuya orilla bañaban mansamente las aguas del lago.

Una vez había leído una frase que decía, más o menos, que si una leyenda era mejor que la verdad, había que quedarse con la leyenda.

Estaba dispuesta a hacerlo.

Allí, en alguna parte del lago, también debían de estar sus lágrimas perdidas, las que había derramado la noche en que Juan Manuel le dijo que todo había terminado. Lágrimas para el fin de un amor, pero que hacían de puente hacia el futuro.

No tardaron en alcanzar su objetivo. El silencio, al contrario que en el camino seguido desde la residencia hasta la última colina, era impresionante. Un silencio hecho de paces y armonías, lleno de un aire puro y limpio, una luz maravillosa y un color intenso surgido de la paleta de un genio. Jacinto soltó su mano para arrodillarse en la orilla e introducirla en el agua.

Sin ese contacto, todo palideció un poco más en torno a Mari Luz.

Solo un poco.

–Ven, tócala. Está muy fresca.

–No, no podría –se estremeció.

–¿Por qué?

–No dejan de ser lágrimas –se abrazó a sí misma–. Han caído de unos ojos, y han nacido de un sentimiento roto.

–Mari Luz, lloramos porque nos sentimos mal, pero también para limpiarnos, ¿no lo entiendes?

Ella miró el agua. No se movió.

–¿Quieres bañarte?

–¡No!

–Entonces sentémonos aquí, ¿te parece?

–Sí –suspiró rendida.

Le sucedía algo, se le doblaban las rodillas. Quería quedarse muy quieta y que él volviera a cogerla de la mano. No era cansancio, era algo mucho más profundo. Una aceleración de todas sus emociones.

Quedaron uno frente al otro, muy cerca, como si no hubiera espacio físico en aquel mundo hecho a la medida. Ni siquiera hacía falta extender el brazo para tocarse. Lo hacían sus piernas, sus rodillas. Respiraban el mismo aire.

Y él volvió a tomarla de la mano.

Primero, le acarició el dorso con un dedo. Jugó con su piel, siguió las elevaciones de los nudillos, le hizo cosquillas, que ella dominó. Finalmente, la atrapó extendiendo los cinco dedos a modo de guante. Mari Luz se refugió en ese contacto. Su mano desapareció envuelta por la de Jacinto. Con ello, la sinrazón aumentó. Era un enorme contraste: la inmovilidad exterior y la turbulencia interior.

Supo que estaba a punto de suceder.

Había pasado por ello, al menos una vez.

–Mari Luz…

Dejó de respirar.

–Mari Luz, estos días han sido los mejores de toda mi vida –dijo él.

Se oyó a sí misma decir:

–Para mí también.

–No creas que esto es una locura –Jacinto abarcó con la mirada el lago, el paisaje, todo lo que les rodeaba–. Tiene un sentido. Puede que se nos escape, que ni tú ni yo lo entendamos ahora, pero tiene un sentido. Has de creerlo, porque si no…

–¿Si no?

–Si no creemos en las pequeñas cosas de la vida, la ilusión, los sueños, la esperanza... ¿Qué nos queda?

A ella, después del adiós de Juan Manuel, no le había quedado nada.

Ahora, en cambio, sentía que volvía a tenerlo todo.

–Jacinto, mi corazón tiene ya únicamente tres pedazos.

La presión de la mano se acentuó.

–Entonces te irás pronto.

–¿Y tú?

No hubo respuesta. Los ojos de Jacinto la atravesaron como si fuera transparente. Sintió aquella mirada en su alma, inundándole el espíritu, llenándola de paces. El último temor se desvaneció en el instante en que él se aproximó.

Despacio.

Su mano libre le llegó hasta la mejilla. Se la acarició. Mari Luz sintió los labios muy fríos hasta que él los rozó con su dedo índice. Entonces le ardieron. Los entreabrió.

Y esperó el beso.

A través de la eternidad.

Jacinto continuó acercándose. La miraba a los ojos, a los labios, a los ojos, a los labios. Su mano se deslizó por la mejilla de nuevo, hasta la nuca. Fue la presión definitiva. A menos de cinco centímetros el uno del otro, Mari Luz cerró los ojos.

Y mientras el beso estallaba en su mente, igual que un castillo de fuegos artificiales, sintió aquel redoble, ensordecedor, el lejano galopar de algo que regresaba y crecía, crecía, crecía en su pecho.

Su corazón, latiendo muy fuerte y muy rápido.

El beso se había apoderado de sus sentidos.

Así que no le dio importancia al hecho de que su corazón latiera. ¿Cuándo un corazón no se acelera con un beso?

Hasta que reaccionó.

Primero, abrió de nuevo los ojos. Segundo, se apartó ligeramente de Jacinto. Tercero, se enfrentó a su sorpresa.

–¡Oh, Dios mío! –exclamó en un gemido.

–¿Qué te pasa? –se alarmó él.

–Ahora no, ahora no… Por favor…

Ya no era un simple latir, era un bum bum enorme, como si el órgano fuese a salírsele del pecho. Estaba segura de que no solo lo escuchaba ella, sino el mundo entero.

–¿Tu… corazón? –quedó boquiabierto Jacinto.

–¡Sí!

–Pero esto es… ¡fantástico!

–¡No, no! –le abrazó, fuerte, con toda su energía, renovada ahora con la vuelta de la vida.

Le abrazó como si pudiera llevárselo con ella.

–Ahora no, por favor… Ahora no –gimió.

Se le nubló la vista por primera vez.

Y sintió cosas olvidadas durante aquellos días, miedo, dolor…

Buscó desesperada los labios de Jacinto y él la correspondió, pero con el primer desfallecimiento ya no pudo mantener la presión y él tuvo que apartarse para sujetarla.

–He de llevarte al hospital –dijo.

–Jacinto, no quiero irme…

–Has de hacerlo, cariño.

Cariño.

Ya se había levantado. La tomó en sus brazos, como si fuera una pluma. Ella quiso volver a besarlo, pero ya no tenía fuerzas. Era como si su corazón tratara de recuperar el tiempo perdido. Solo consiguió rodearlo con sus brazos y apoyar la cabeza en su pecho. Le cayeron dos lágrimas impregnadas de desesperación.

Jacinto ya corría sendero arriba.

—Mari Luz… Confía, confía.

—¿En qué?

—¡Has de creer!

—Jacinto…

Se le nubló la vista por segunda vez, y ahora llegó a las riberas de la oscuridad total.

Quiso luchar.

—Jacinto… —suspiró.

Pudieron ser sus labios en su frente. Pudo ser un sueño. Pudo ser la última fantasía.

Fue lo último que recordó.

Final:
Luz

Corría por un largo túnel.

Y había una luz a lo lejos.

Corría y corría, con todas sus fuerzas, aunque sin saber el motivo. Solo sentía aquella necesidad. Ni siquiera era capaz de volver la vista atrás. Temía que, si lo hacía, la negrura la atrapara de nuevo.

Porque había una negrura.

Y la luz representaba la salvación.

–¡Espera! –le dijo a la luz.

Tardó una eternidad. Tardó tanto que creyó que no lo conseguiría, que se quedaría sin fuerzas, o que acabaría quemando su tiempo y llegaría al final siendo ya una anciana.

Pero la luz se hizo mayor. Entonces se dio cuenta de que no corría ella, por más que lo intentaba y se esforzaba, sino el resplandor, apoderándose de su mente. Eso la hizo relajarse.

Y cuando la luz la alcanzó de lleno, abrió los ojos.

Todo estaba quieto, en calma, de modo que se sintió más tranquila. Y esa tranquilidad aumentó al darse cuenta de que estaba en la residencia, porque las paredes eran blancas, y había una enfermera a su lado.

Emitió un gemido. La enfermera se le acercó.

No era Anastasia, no era ninguna de las que conocía.

—¿Cómo te encuentras, cariño?

—Mareada —suspiró.

—Bueno, ya pasó, tranquila.

Jacinto se habría dado una buena paliza llevándola hasta allí. Ahora necesitaba saber...

—¿Dónde está el doctor Serrano?

—¿Quién?

—Mi médico.

—No hay ningún doctor Serrano, querida —la enfermera le puso la mano en la frente.

—¿Cómo que...?

El uniforme de la enfermera era blanco, pero distinto al de la residencia de los corazones rotos. Y no llevaba ninguna plaquita con su nombre.

Miró la habitación. También era distinta.

—¿Dónde estoy? —se asustó.

—En el Hospital General. Te desmayaste en la calle y te trajo un taxista que te vio. Te hemos hecho una primera exploración y estás bien. Puede que algo te sentara mal, o el calor... Descansa diez minutos y ya podrás irte a tu casa.

—No puede ser... —se le llenaron los ojos de lágrimas.

—¿Tomaste algo? Ya sabes, una pastilla...

—¡No!

El corazón. Le latía. Pudo sentir su rítmico caminar.

Alargó el brazo izquierdo y se miró el reloj. Volvía a funcionar, a quemar los segundos, los minutos y las horas. Había pasado menos de una hora desde que sintió el dolor en el pecho en aquella calle.

Su nuevo suspiro la hizo cerrar los ojos, agotada.

–Tranquila, ¿vale? –le repitió la enfermera–. Vuelvo en unos minutos. ¿Quieres que avisemos a tus padres?

–No –musitó–. Están fuera.

–Antes de irte, pasará de nuevo el médico para hacerte unas preguntas.

Se quedó sola.

Entonces todo volvió a ella, con nitidez, con la fuerza de una realidad superior a todo sueño o fantasía. La residencia, el doctor Serrano, Anastasia, la doctora Nuria, el profesor Tadeo, Alicia, Jacinto...

Jacinto.

¿Y si volvía a rompérsele el corazón?

–¿Y ahora qué? –gimió una vez más.

Había estado en un lugar irreal, pero del que recordaba todo, hasta el más mínimo detalle. Se había curado. ¡Veintitrés pedazos de corazón roto! Había visto su vida, analizado su fracaso sentimental, comprendido las claves y pautas de su relación con Juan Manuel. Y se había enamorado de nuevo.

Enamorado. Todo para volver al mundo real y pasarlo peor que antes.

Absurdo.

¿Qué sentido tenía todo aquello?

–Jacinto –susurró.

En alguna parte, alguien gritó. En otra se escucharon prisas y carreras. Más allá percibió el quedo lamento de unas lágrimas impregnadas de dolor.

Volvía a estar viva.

¿Por qué, entonces, se sentía más muerta que nunca?

La sala de urgencias tenía trazos de angustia.

Personas que minutos antes se encontraban bien y ahora esperaban un diagnóstico médico llenas de preocupación. Niños y niñas que se habían caído y se habían roto un brazo, o que se habían tragado algo, o que ardían de fiebre. Hombres y mujeres luchando por la salvación del cuerpo, golpeados por la sorpresa de lo inesperado. Preguntas sin respuestas inmediatas mientras los médicos trataban de proporcionárselas.

Un atisbo de locura.

Y al otro lado de todo, en la calle, la vida que continuaba, ajena a las miserias de los desesperados.

Mari Luz tuvo que levantarse con algo más que su voluntad.

La depresión le pesaba en el alma.

Jacinto no existía. Ni la residencia de los corazones rotos. Volvía a estar ella sola con su carga.

Pero, entonces, ¿por qué no pensaba en Juan Manuel?

¿Por qué estaba llena de Jacinto?

Un sueño.

–Si te encuentras mal, llama al médico, ¿de acuerdo?

–De acuerdo.

La enfermera se despidió de ella.

Había terminado la observación, las pruebas, tenía el alta. Podía irse.

Se dirigió a la salida con la cabeza envuelta en la batalla de sus pensamientos. Las ideas, las sugerencias, las contradicciones, todo se mezclaba en un caos que la hacía sentirse más y más patética. No conseguía atrapar ni una verdad, tener una base de la que partir. Tal vez se estuviese volviendo loca.

¿Y si había estado a punto de morir y acababa de regresar?

¿Y si existían las segundas oportunidades?

Lo que había vivido era tan real… El beso de Jacinto…

Podía cerrar los ojos y verle, aspirar su aroma, sentir su aliento.

Un nombre capturó su atención al pasar junto a un grupo de personas que escuchaba las palabras de un médico.

–Su hija Grisela está bien, estabilizada y fuera de peligro. Podrán verla cuando se recupere un poco.

¿Casualidad?

Aminoró la marcha. Los familiares se abrazaban contentos. El médico se retiraba hacia el interior de urgencias. Escuchó algunos comentarios hechos en voz baja: «¿Por qué lo habrá hecho?», «¿Qué le habrá sucedido para…?».

Tuvo que apoyarse en una pared.

Si Grisela era real, estaba allí, y ella la había visto en su fantasía antes de conocerla o saber que existía…

–Esto es de locos –balbuceó.

Sintió deseos de preguntar si alguien conocía a una tal Alicia Medina, pero se abstuvo y reanudó la marcha para salir cuanto antes de allí. Necesitaba respirar el aire fresco de la noche.

Una hora antes, en aquella vida real, estaba destrozada.

Una hora antes, Juan Manuel y su adiós inundaban todo su mundo, aplastándola.

Una hora antes estaba consciente, vivía la verdad.

¿Y ahora? Al diablo Juan Manuel. No se podía quitar a Jacinto de la cabeza.

Alguien que no existía.

De pronto escuchó su voz en algún lugar de su mente:

–No creas que esto es una locura. Tiene un sentido. Puede que se nos escape, que ni tú ni yo lo entendamos ahora, pero tiene un sentido. Has de creerlo, porque si no...

—¿Si no? —había dicho ella.

—Si no creemos en las pequeñas cosas de la vida, la ilusión, los sueños, la esperanza... ¿Qué nos queda?

¿Qué les quedaba?

Y volvió a escuchar su voz, sus últimas palabras:

—Mari Luz... Confía, confía.

—¿En qué?

—¡Has de creer!

Creer.

¿Cómo podía creer que hubiera vivido en un lugar absurdo durante días cuando solo había transcurrido un pequeño lapso de tiempo desde su desmayo hasta el momento presente? ¿A quién debía hacer caso, a la lógica o a su fantasía?

Pero entonces, ¿por qué existía Grisela? ¿Una casualidad?

¿Había escuchado su nombre en sueños, tal vez en la habitación contigua, mientras estaba inconsciente en el hospital?

Iba a pie hasta su casa. Quería caminar, sentir la noche, el aire más fresco, rodearse del tráfico, del bullicio, impregnarse de tantos y tantos rostros anónimos que la rodeaban. No tenía prisa. Su corazón latía armónicamente.

Un chico le guiñó un ojo al pasar por su lado.

Sí, la vida retomaba su normalidad.

Abandonó la avenida principal al aproximarse a su barrio. En un par de minutos, las calles se volvieron menos concurridas, más oscuras. Conocía el camino, así que su andar se hizo maquinal, con la vista fija en el suelo. Llegaría a casa, se pondría cómoda, tal vez optaría por ver la tele...

¿Cómo iba a dormir?

Bajó de la acera y se dispuso a cruzar la calzada. No había tráfico.

Al menos, así lo creía ella.

Se encontró con el coche en la esquina, casi encima de ella. No corría, pero el susto, debido a la abstracción de su ánimo, fue tan fuerte que la hizo trastabillar y perder pie. Lo peor, lo más ridículo, es que cayó hacia atrás, sobre sus posaderas. De culo.

Tenía el coche casi encima. Escuchó el ruido de la puerta al abrirse, alguien que se movía de forma veloz. Iba a levantarse cuando lo vio por primera vez.

Y su corazón, ahora, no es que se rompiera.

Es que se le paró en seco.

Era Jacinto.

El muchacho estaba asustado.

Se arrodilló a su lado sin saber muy bien qué hacer.

–¿Estás bien? –fue lo primero que le preguntó.

La misma voz, los mismos ojos dulces, aquellas manos tan suaves, los labios que acababa de besar…

–Sí –logró decir.

–Iba despistado, no te he visto. No sabes cuánto lo siento. ¿Te llevo al hospital? Hay uno cerca, el General.

–No, no es necesario, solo me he caído.

–¿Puedes levantarte?

–Claro.

La ayudó a hacerlo. La cogió de la mano y tiró de ella. Quedaron frente a frente. Vestía con informalidad: camisa, vaqueros, zapatos muy cómodos. Y la miraba con algo más que el susto inicial.

–Me siento como un idiota –insistió él.

–Ha sido culpa mía, iba distraída.

–Bueno, entonces a medias –sonrió por primera vez–. Pero al menos… no sé, déjame que te lleve a tu casa.

Mari Luz volvía a respirar.

Ella también sonreía. Comprendiendo.

–Eso sí me iría bien –admitió–. He tenido un día… movido.

–Está hecho, si te fías de un desconocido –se sintió más y más aliviado él.

Un desconocido.

Mari Luz tuvo ganas de reír, a pleno pulmón.

Había estado a punto de gritar: «¡Tú!». Y, sin embargo, no lo había hecho. Todo encajaba.

Creer.

«No creas que esto es una locura. Tiene un sentido. Puede que se nos escape, que ni tú ni yo lo entendamos ahora, pero tiene un sentido. Has de creerlo, porque si no…».

«¿Si no?».

«Si no creemos en las pequeñas cosas de la vida, la ilusión, los sueños, la esperanza… ¿Qué nos queda?».

–¿Cómo te llamas?

–Mari Luz.

Pensó: «Yo, Jacinto».

–Yo, Jacinto –dijo él.

Estuvo a punto de decirle: «Estudias medicina». Pero se calló.

Entraron en el coche y se dio cuenta de cómo la miraba. Casi se sintió culpable.

Le llevaba mucha ventaja. Conocía el futuro.

–¿Dónde vives?

–Aquí, muy cerca, todo recto –suspiró Mari Luz mientras escuchaba una suave música en su mente, como si estuviera en uno de los círculos del baile de la residencia.

Índice

Títulos publicados

PARALELO CERO

*Este libro se terminó
de imprimir en los
talleres gráficos
de Unigraf, S. L.,
en el mes de junio de 2007*